みんなが欲しかった！

中小企業診断士

2025
年度版

JN052184

TAC中小企業診断士講座●編著
滝澤ななみ●編集協力

合格への
はじめの一歩

TAC出版
TAC PUBLISHING Group

は し が き

　中小企業診断士資格の学習をすることによって、どのような業種でどのような職種についている方であっても、実務で役立つ有益な知識を得ることができます。そのためか、近年、中小企業診断士資格は、ビジネスマンに人気のある資格のひとつとなっています。

　しかし、その学習内容は多岐にわたるので、資格取得へと踏み出すのに勇気がいることも確かです。

　本書は、**初めて中小企業診断士試験にチャレンジしようとする方**のために、その一歩を踏み出しやすくなることを願って作成しました。

　「オリエンテーション編」では、資格や試験の概要、学習プランなどを紹介しています。「入門講義編」では、各科目の基本的事項や興味深い論点などを説明しています。**フルカラーでイラストや板書を豊富に収載**しているので、わかりやすく、スイスイ学習を進めることができるでしょう。

　本書をスタートラインとして、診断士試験の合格とその向こうにある新たなる目標に向かって、第一歩を踏み出しましょう。

　2024年8月

TAC中小企業診断士講座

本書の効果的な学習法

1　オリエンテーション編で試験、資格について知りましょう！

　まずは**スタートアップ講座**からはじめましょう！　中小企業診断士の仕事内容、試験の実施日程や試験問題の形式、さらに合格までにどのような勉強をしていくのかが、イラストとともにわかりやすく掲載されています。

2　入門講義編で診断士試験の学習内容の概要を学びましょう！

　中小企業診断士試験で学ぶ全科目の入門講義に進みます。主要なテーマで、かつ、知識理解のための土台となるものを、わかりやすくまとめています。各科目の勉強がはじめての方でも無理なく読めるよう、やさしく身近な言葉を使った本文で、図解も満載。楽しく読み進めていくことができます。知識確認として、「過去問にチャレンジ！」を解き、実際の試験問題も体感してみましょう。

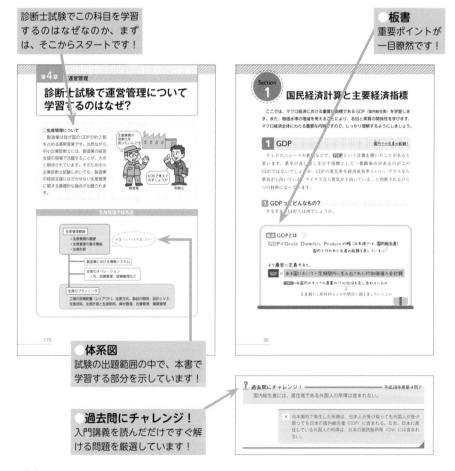

診断士試験でこの科目を学習するのはなぜなのか、まずは、そこからスタートです！

●**板書**
重要ポイントが一目瞭然です！

●**体系図**
試験の出題範囲の中で、本書で学習する部分を示しています！

●**過去問にチャレンジ！**
入門講義を読んだだけですぐ解ける問題を厳選しています！

目　次

合格へのはじめの一歩

スタートアップ講座

1 中小企業診断士になるまで

中小企業診断士になるには、まず、中小企業診断協会が実施する第1次試験に合格しなければなりません。第1次試験に合格したら、次の2つの方法のいずれかにより、中小企業診断士として登録ができます。
①協会が実施する第2次試験に合格して、3年以内に実務補習を修了するか診断実務に従事する。
②中小企業基盤整備機構または登録養成機関が実施する養成課程を修了する。

スタート

4月下旬
～5月下旬

第1次試験
申込み

忘れずに!

8月上旬　第1次試験　受験

9月上旬　第1次試験　合格

合格

②のルート

中小企業基盤整備機構または登録養成機関が実施する養成課程を修了

中小企業診断士登録

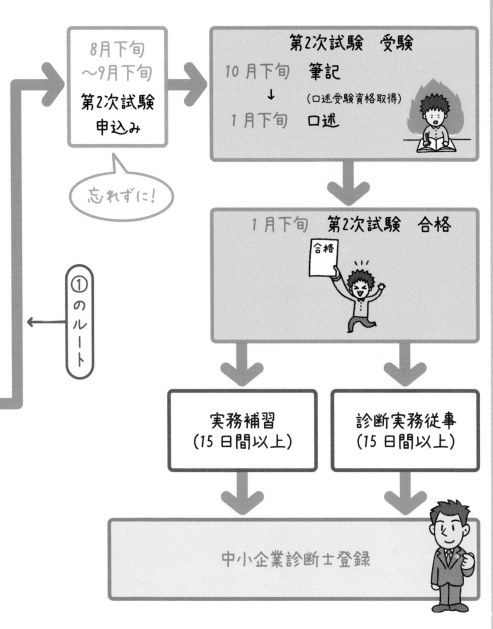

8月下旬
～9月下旬
第2次試験
申込み

忘れずに！

①のルート

第2次試験　受験
10月下旬　筆記
↓　　　　（口述受験資格取得）
1月下旬　口述

1月下旬　第2次試験　合格

合格

実務補習
（15日間以上）

診断実務従事
（15日間以上）

中小企業診断士登録

※令和6年度の試験日程です。試験日程の詳細、実務補修、診断実務については、中小企業診断協会のホームページでご確認ください。

https://www.j-smeca.jp/contents/007_shiken.html

2 中小企業診断士とはどんな資格?

「中小企業診断士」ってどんな資格なんだろう、資格をとるとどんなメリットがあるの? こんな数々のギモン点にお答えします。

国が認定するプロの経営コンサルタント

中小企業診断士とは、中小企業支援法という法律に基づいて、経済産業大臣が登録する国家資格です。

国家資格には、「職業独占資格」と「名称独占資格」があり、診断士は名称独占資格にあたります。

資格がなくても経営コンサルティング業務はできますが、資格がないと「中小企業診断士」を名乗ることはできません。

診断士には、創業支援、企業が抱える問題点・課題の把握、経営戦略の助言など、さまざまな観点から企業を支援することが求められます。

中小企業診断士資格は、近年、ビジネスパーソンに人気の資格として注目されたり、大企業でも取得を推奨していますが、それはなぜでしょうか。

多くの資格は、法律や会計など、専門分野に特化していますが、診断士資格は、法律、会計、経営戦略、IT、経済、マーケティング、物流など、ビジネスに関する分野を全般的かつ網羅的に学習します。

このような幅広い分野を習得すれば、社内での昇進や転職において大きな武器となるため、ビジネスパーソンにとって人気の資格となっています。

また、MBAと同様の知識を得ることができるため、大企業でも評価が高い資格なのです。

資格の魅力①　経営資源を横断的に見る力が身につく！

診断士試験の学習をすることによって、企業の経営資源であるヒト、モノ、カネ、情報にかかわる知識を、横断的に身につけることができます。

これは、企業内でのキャリアアップや就職・転職、独立開業などへの大きなアドバンテージとなります。

資格の魅力②　多彩なネットワークで活躍の場が広がる！

診断士は数ある国家資格の中でも、多様な背景を持った受験生が多いのが特徴です。

受験生同士のネットワークや合格後の勉強会、中小企業診断協会での活動などを通じて新たな人脈を築くことができ、活躍の場が広がります。

資格の魅力③　ロジカルシンキングが身につく！

診断士の学習のうち、特に2次試験対策では、「ロジカルシンキング」が身につくようになります。

このスキルがあると、論理的に考えて思考を整理し、その結論を相手にわかりやすく伝えることができるので、ビジネスシーンにおいて大変有用です。

資格の魅力④　女性の活躍が期待されている！

経営者　　　診断士

女性が結婚、出産、育児等により いったん仕事から離れると、復帰 するのが難しい現状があります が、診断士として独立すれば、仕 事とプライベートを両立しやすく なります。

スキンケアやエステ業界など、女 性診断士のニーズは増えていま す。

合格後の活動①　勤務先で戦略立案や業務の効率化などに携わる

診断士とりました！

経営企画がやりたいです！

経営全般の知識をもつことで、部 署による偏りがちな知識を是正 し、全社的な視点で問題解決を図 れる能力を発揮できます。

希望部門への異動や昇進・昇格に も役立ちます。

【知識をビジネスに活用する】
①関連のある部門
　経営企画部門、経理・財務部門、人事・総務・法務部門、情報系・システム部 門、マーケティング部門、営業部門など
②関連のある業務
　管理職としてのマネジメント、取引先の経営分析・アドバイス、社内教育 (OJT)、代理店・販売店の経営診断・指導、業務のIT化促進指導など

旧経営者　診断士　新経営者

経営コンサルティング（コンサルティングファームや独立開業・週末起業など形態はさまざまです）や研修・教育、執筆・講演活動など、その活動領域は多岐にわたります。

【主なコンサルティングの内容】
M&A、事業承継、マーケティング戦略、商店街診断、企業文化・企業倫理、生産システム、中心市街地の活性化、ロジスティクス、店舗運営管理、地域経済の活性化、情報・ネットワーク、人材開発・活用、集団化・提携化、業態開発、販売員教育、創業支援など

3 中小企業診断士の試験ってどんな試験?

中小企業診断士試験とはどんな試験なのか、受験データや試験制度の概要を見ていきましょう。

以下は、2024年7月現在の情報に基づいています。試験の詳細や実務補習・実務従事についての詳細、登録・更新の詳細については、一般社団法人 中小企業診断協会のホームページ（https://www.j-smeca.jp/）等でご確認ください。

※令和5年度中小企業診断士第1次試験（再試験）については受験データに含まれておりません

受験データ① 受験者数、合格者数等

診断士試験の過去5年の受験者数、合格者数等は、以下のとおりです。

1次試験

	申込者数 （人）	対前年度 比	受験者数 (A)（人）	合格者数 (B)（人）	合格率 (B)÷(A)
令和元年度	21,163	105.2%	14,691	4,444	30.2%
令和2年度	20,169	95.3%	11,785	5,005	42.5%
令和3年度	24,495	121.4%	16,057	5,839	36.4%
令和4年度	24,778	101.2%	17,345	5,019	28.9%
令和5年度	25,986	104.9%	18,621	5,521	29.6%

※受験者数は、7科目すべてを受験した受験生の人数です

2次試験

	申込者数 （人）	対前年度 比	受験者数 (A)（人）	口述試験の 受験資格取 得者数（人）	合格者数 (B)（人）	合格率 (B)÷(A)
令和元年度	6,161	123.8%	5,954	1,091	1,088	18.3%
令和2年度	7,082	114.9%	6,388	1,175	1,174	18.4%
令和3年度	9,190	129.8%	8,757	1,605	1,600	18.3%
令和4年度	9,110	99.1%	8,712	1,632	1,625	18.7%
令和5年度	8,601	94.4%	8,241	1,557	1,555	18.9%

近年は、1次試験の受験者数が増加傾向となっています。

受験データ②　令和5年度の1次試験合格者の年齢別割合

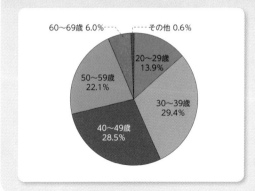

1次試験の合格者を年代別に見てみると、30代と40代で約6割を占めています。

受験データ③　令和5年度の1次試験合格者の男女別割合

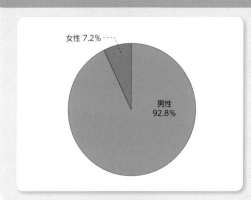

男女別の割合を見ると、圧倒的に男性が多いです。女性の皆さん、奮ってチャレンジしてください！

受験データ④　資格取得後の仕事

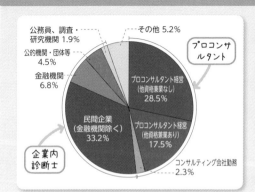

診断士の資格を取得した方は、どのような職業に就いているのでしょうか。

グラフを見ると、コンサルタントとして働く方と企業内診断士として働く方がほぼ同数となっています。

※以上、各データは中小企業診断協会から公表されている資料に基づいて作成

10

1次試験はどんな試験？

試験日程

1次試験は、毎年8月中の土曜日と日曜日の2日間にわたって、全国10地区で実施されます。令和6（2024）年度の試験日程は、下記のとおりです。

なお、年齢、学歴等による受験資格の制限はありません。

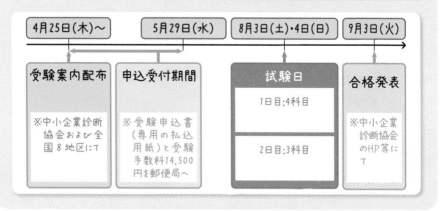

試験科目・時間・配点

各日の試験科目と試験時間、配点は下記のとおりです。

試験科目	時間	配点
第1日目		
A経済学・経済政策	60分	100点
B財務・会計	60分	100点
C企業経営理論	90分	100点
D運営管理（オペレーション・マネジメント）	90分	100点
第2日目		
E経営法務	60分	100点
F経営情報システム	60分	100点
G中小企業経営・中小企業政策	90分	100点

11

3年以内に7科目のすべてに合格することで、1次試験合格となります。

①総点数による合格基準

総点数の60％以上で、かつ1科目でも満点の40％未満の科目がないことを基準とし、試験委員会が相当と認めた得点比率とします。

②科目ごとによる合格基準

科目合格基準は、満点の60％を基準とし、試験委員会が相当と認めた得点比率とします。

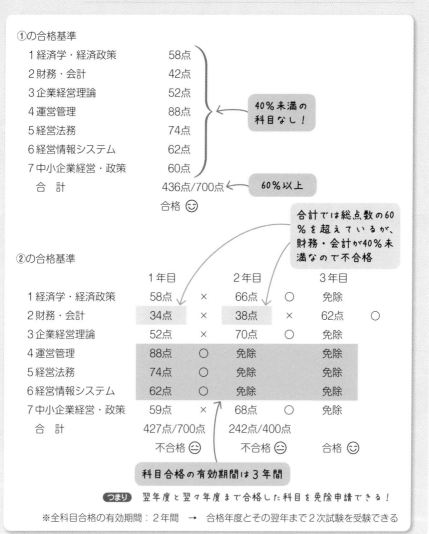

①の合格基準

1 経済学・経済政策	58点
2 財務・会計	42点
3 企業経営理論	52点
4 運営管理	88点
5 経営法務	74点
6 経営情報システム	62点
7 中小企業経営・政策	60点
合　計	436点/700点
	合格 😊

40％未満の科目なし！

60％以上

合計では総点数の60％を超えているが、財務・会計が40％未満なので不合格

②の合格基準

	1年目		2年目		3年目	
1 経済学・経済政策	58点	×	66点	○	免除	
2 財務・会計	34点	×	38点	×	62点	○
3 企業経営理論	52点	×	70点	○	免除	
4 運営管理	88点	○	免除		免除	
5 経営法務	74点	○	免除		免除	
6 経営情報システム	62点	○	免除		免除	
7 中小企業経営・政策	59点	×	68点	○	免除	
合　計	427点/700点		242点/400点			
	不合格 😓		不合格 😓		合格 😊	

科目合格の有効期間は3年間

つまり 翌年度と翌々年度まで合格した科目を免除申請できる！

※全科目合格の有効期間：2年間 → 合格年度とその翌年まで2次試験を受験できる

1次試験は、中小企業診断士に必要な学識を有するかどうかを判定することを目的とし、マークシート方式による多肢選択式により行われます。

第1問

ドメインに関する記述として、最も適切なものはどれか。

ア　PPMを用いた事業間の資源配分の決定を基に、企業ドメインが決定される。

イ　企業ドメインには、多角化の広がりの程度、個別事業の競争戦略の方針、差別
化の在り方および日常のオペレーションといった内容が含まれる。

ウ　経営者は事業間でシナジー効果がどれくらい働くのかを考えて、企業ドメイン
を決定する。

エ　事業ドメインには、部門横断的な活動や他の事業分野との関連性、将来の企業
のあるべき姿や経営理念といった内容が含まれる。

4肢または5肢択一および解答群からの選択形式です。

（令和5年度第1次試験 企業経営理論 第1問より）

2次試験はどんな試験？

試験日程

2次試験は筆記試験と口述試験があり、筆記試験は全国7地区で実施されます。令和6（2024）年度の試験日程は、下記のとおりです（詳細は、1次試験後に公表される試験案内でご確認ください）。

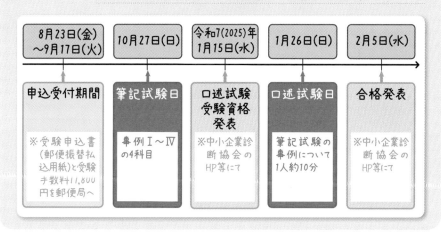

8月23日(金)〜9月17日(火)	10月27日(日)	令和7(2025)年1月15日(水)	1月26日(日)	2月5日(水)
申込受付期間	筆記試験日	口述試験受験資格発表	口述試験日	合格発表
※受験申込書（郵便振替払込用紙）と受験手数料17,800円を郵便局へ	事例Ⅰ〜Ⅳの4科目	※中小企業診断協会のHP等にて	筆記試験の事例について1人約10分	※中小企業診断協会のHP等にて

2次試験（筆記）の試験科目と試験時間、配点は下記のとおりです。

試験科目	時間	配点
A中小企業の診断及び助言に関する実務の事例Ⅰ テーマ：組織（人事を含む）	80分	100点
B中小企業の診断及び助言に関する実務の事例Ⅱ テーマ：マーケティング・流通	80分	100点
C中小企業の診断及び助言に関する実務の事例Ⅲ テーマ：生産・技術	80分	100点
D中小企業の診断及び助言に関する実務の事例Ⅳ テーマ：財務・会計	80分	100点

試験形式（筆記）

筆記試験は、中小企業診断士に必要な応用能力を有するかどうかを判定することを目的とし、中小企業の診断および助言に関する実務の事例や助言に関する能力について、記述式により行われます。高度な専門知識は必要ではなく、あくまでも1次試験レベルの知識がベースとなります。

A社は、資本金1千万円、従業員15名（正社員5名、アルバイト10名）の蕎麦店である。先代経営者は地方から上京し、都市部の老舗蕎麦店で修業し、1960年代後半にのれん分けして大都市近郊に分店として開業した。鉄道の最寄り駅からバスで20分ほど離れた県道沿いに立地し、当時はまだ農地の中に住宅が点在する閑散とした中での開業であった。

開業当初は小さな店舗を持ちながらも、蕎麦を自前で打っており、コシの強い蕎麦が人気を博した。出前中心の営業を展開し、地域住民を取り込むことで、リピート客を増やしていった。また、高度経済成長によって自家用車が普及する途上にあったことから、多少離れていてもマイカーで来店する顧客も年々増え始め、県道沿いの立地

> 何らかの問題・課題を抱える企業の事例

第1問（配点20点）
統合前のA社における①強みと②弱みについて、それぞれ30字以内で述べよ。

第2問（配点20点）
A社の現経営者は、先代経営者と比べてどのような戦略上の差別化を行ってきたか、かつその狙いは何か。100字以内で述べよ。

第3問（配点20点）
A社経営者は、経営統合に先立って、X社のどのような点に留意するべきか。100字以内で助言せよ。

第4問（配点40点）
A社とX社の経営統合過程のマネジメントについて、以下の設問に答えよ。

> 企業が抱えている問題・課題やその解決策等について各設問15～200文字程度

（令和5年度第2次試験 事例Ⅰより）

試験形式（口述）

試験官　　　　　　　　受験者

口述試験はひとりずつ、10分程度行われます。

筆記試験で出題された4つの事例をもとに、4問程度、筆記試験とは異なる角度で質問されます。問われる内容は受験者により異なります。

※口述試験中は一切の資料、書籍等を見ることはできません

※筆記試験で出題された4事例の状況を的確に把握しておくこと、想定される質問に対する回答をある程度準備しておくことが必要です

受験資格

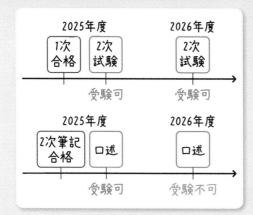

《筆記》

1次試験合格者

※1次試験合格（全科目合格）年度とその翌年度に限り有効

※2000年度以前の1次試験合格者は一度に限り有効

《口述》

当該年度の2次筆記試験合格者

※口述試験を受ける資格は当該年度のみ有効で、翌年に持ち越せません

合格基準

筆記試験における総点数の60％以上で、かつ1科目でも満点の40％未満の科目がなく、口述試験における評定が60％以上であることを基準とします。

4 学習プランの紹介

ここでは、4つのタイプの合格プランをご紹介します。自分にあったタイプを選びましょう。

タイプ ① 超短期集中型

- 4〜6月の3か月間で7科目をひととおり学習し、直前1か月で仕上げるプラン
- 試験対策に慣れている方（大学受験やほかの資格試験などで、かなりがんばった経験のある方）におすすめ
- 1次試験終了後に2次試験対策を行う

〈超短期集中型のメリット〉
- 超短期なので集中せざるをえず、モチベーションが維持しやすい
- 手を広げすぎたり深掘りするなどの失敗が少ない

> 注 前提となる知識がほとんどない方、試験対策に慣れていない方には不向き
> 入門講義をざっと読んでみて、「これならいけそう！」という方はチャレンジしてみていいかも

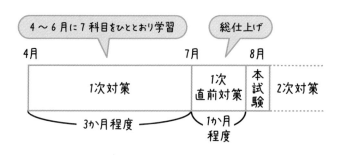

- 1月から学習を開始して7か月程度の期間で合格をねらうプラン
- 1次試験終了後に2次試験対策を行う

〈短期型のメリット〉

- 短期間なので、モチベーションを維持し学習できる
- 試験対策に慣れている方は、1次試験対策（最初の4か月間）と並行して2次試験対策を行うことも可能

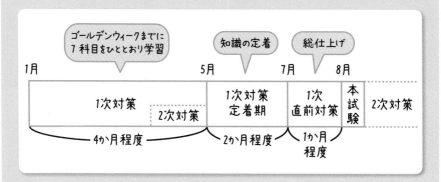

- 9〜10月に学習を開始して翌年の合格を目指すプラン
- 一般的な学習タイプ

〈標準型のメリット〉

- 2次試験対策を並行して行うことが可能（本格的な試験対策の経験がない方は1次対策のみに絞る）
- 期間が長いので、仕事が忙しいなど学習時間を確保できない時期があってもリカバリーが可能

注 学習期間が長いぶん、モチベーションを維持するのが難しい面もある

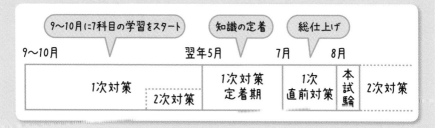

以上の3タイプはいずれも1回の試験で合格するパターンですが、あえて、2年かけて受験・合格するパターンもあります。

タイプ ④ 分散型

・1年目の試験で合格する科目を決め、1年目はその科目のみの対策を行う
・2年目は残りの1次試験の科目と2次試験対策を並行して行う

〈分散型のメリット〉

・1次試験の科目負担が減るので2次試験対策を並行させやすい
・仮に1年目の1次試験の合格科目がゼロであったとしても、ひととおり学習しているので、2年目の負担が減る

1〜3月にその年に合格する科目の対策を開始

	1月		5月	7月	8月	
1年目	1次対策		1次対策 定着期	1次 直前対策	本試験	

残りの1次試験科目と2次試験対策を並行して行う

	1月		5月	7月	8月	
2年目	1次対策 / 2次対策		1次対策 定着期	1次 直前対策	本試験	2次対策

〈対策のポイント〉

1年目にどの科目を学習するかについては、2次試験との関連性によって決めるとよいでしょう。

2次試験と関連性が強い科目	◆財務・会計
	◆企業経営理論
	◆運営管理

1年目に2次試験との関連性が弱い4科目に合格し、2年目を2次対策に集中しやすい状況にもっていきます。

2次試験は1次試験の知識が前提となるので、2次試験との関連性が強い科目を2年目に残すことで、「2年目の1次試験対策は2次試験対策も兼ねる」という位置づけになります。

5 科目ごとの特徴をざっくり知ろう

ここでは、1次試験の日程順に、各科目の特徴を説明します。

1次試験（1日目）

1日目		2日目
経済学・経済政策	企業経営理論	経営法務
財務・会計	運営管理	経営情報システム
		中小企業経営・中小企業政策

1次試験の1日目に行われるのは、この4科目です。
順番に各科目の内容と特徴を見ていきましょう。

①経済学・経済政策

試験時間	60分
問題数	25マーク※

出題領域
ミクロ経済学　マクロ経済学

1科目目は、経済学・経済政策です。

ミクロ経済学：一企業、一消費者など個々の経済活動がどのような影響を与えるのかを学習します。
マクロ経済学：一国全体や国同士の経済活動に焦点をあて、政策などがどのような影響を与えるのかを学習します。

※令和5年度における解答すべき問題数

19

グラフを理解するためには、自分
で書いてみるのが有効です。

特徴

◆数式やグラフの出題が多い

攻略法

◆グラフの読み取り方を理解しよう！
◆政府や日銀の政策にも目を向けよう！

②財務・会計

| 試験時間 | 60分 |
| 問題数 | 25マーク |

出題領域

財務　　　　　会計
（ファイナンス）　（アカウンティング）

2科目目は財務・会計です。

財務：企業の資金面での意思決定
をするための理論（意思決定会
計、企業財務論など）を学習しま
す。
会計：企業の状況を把握するため
の計算技法（各財務諸表の作成プ
ロセス、経営分析など）を学習し
ます。

特徴

◆1次試験では電卓は使用できない

攻略法

◆問題演習を繰り返して解法を身につけよう！

問題演習の際には、むやみに解く
のではなく、何のために解いてい
るのかを意識するようにしましょ
う（たとえば、論点整理のため、
プロセス理解のため、など）。

③企業経営理論

試験時間 90分

問題数 41マーク

出題領域

経営戦略　マーケティング　組織論

3科目目は企業経営理論です。

経営に興味を持っている方であれば、興味がわく領域です。

特徴
◆単に用語の意味を問うような問題はほとんどない
◆問題文(選択肢)がかなり複雑

攻略法
◆過去問や問題集で出題パターンを確認しながら学習しよう!

興味深い内容のわりには得点しにくい科目ですが、出題パターンを確認して知識を適用できるようにしましょう。
また、繰り返し問われる頻出論点は必ず押さえましょう。

④運営管理

試験時間 90分

問題数 44マーク

出題領域

生産管理　店舗・販売管理

4科目目は運営管理です。

生産管理:生産(ものづくり)現場のマネジメントについて、さまざまな生産方式や管理方式などを学習します。
店舗・販売管理:小売業における店舗施設や物流、販売流通情報システムなどを学習します。

21

特徴
◆難化〜易化の波がある

攻略法
◆頻出論点を中心にアウトプットで知識を定着！

難化したり、易化したりの波がありますが、勝負がつくのは頻出論点です。本書で扱っている内容は、確実に得点できるようにしましょう！

1次試験（2日目）

	1日目		2日目
	経済学・経済政策	企業経営理論	経営法務
	財務・会計	運営管理	経営情報システム
			中小企業経営・中小企業政策

1次試験の2日目に行われるのは、この3科目です。
順番に各科目の内容と特徴を見ていきましょう。

⑤経営法務

試験時間	60分
問題数	25マーク

出題領域

知的財産権　会社法　民法　その他の法律知識

5科目目は経営法務です。

企業の経営に関する法律を学びます。
知的財産権と会社法からの出題が中心になります。

特徴

◆対象となる範囲が広い
◆頻出領域がはっきりしている

攻略法

◆法律独特の言い回し、用語に慣れよう！
◆優先順位を意識して少しずつ知識を増やしていこう！

メインの知的財産権と会社法を中心に、基本的な論点について正確な知識を身につけるようにしましょう。

⑥経営情報システム

試験時間 60分

問題数 25マーク

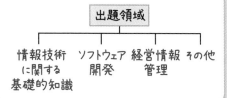

出題領域

情報技術に関する基礎的知識　ソフトウェア開発　経営情報管理　その他

6科目目は経営情報システムです。

基礎的知識のハードウェア、ソフトウェア、セキュリティ対策などや、ソフトウェア開発の手順、経営情報管理でクラウドコンピューティングなどを学習します。

特徴

◆基礎的な論点と応用的な論点がはっきりしている
◆新しい技術についても問われる

攻略法

◆基礎的な論点をしっかり覚えよう！
◆IT系のニュースにもアンテナを立てておこう！

アルファベットやカタカナの用語は、機能などの相違点を表にまとめると覚えやすいです。

また、近年は新しい技術（ビッグデータなどのITトレンド）が出題されています。難易度は高くないので、日々のニュースで概要を押さえておきましょう。

試験時間	90分
問題数	42マーク

出題領域

中小企業経営　中小企業政策

最後の7科目目は中小企業経営・中小企業政策です。

中小企業経営：主に中小企業庁発行の「中小企業白書」「小規模企業白書」から出題されます。

中小企業政策：「中小企業施策利用ガイドブック」からの出題がメインです。

特徴
◆出題の題材を特定しやすい
◆中小企業政策は頻出論点が比較的はっきりしている

攻略法
◆経営5割、政策7割の得点を確保できるようにしよう！

白書の中小企業・小規模事業者の事業者数、従業員数といったデータや、施策ガイドの中小企業施策について、制度や実施機関など、出題範囲がはっきりしているので、7科目中で最も覚える対象を絞り込みやすいです。

αβ株式会社

TAC出版の診断士本　合格活用術

「みんなが欲しかった！シリーズ」を中心においた、中小企業診断士試験合格までの書籍活用術をご紹介します。合格を目指してがんばりましょう！

第1次試験対策　まずは知識のインプット！

みんなが欲しかった！中小企業診断士合格へのはじめの一歩

合格への第一歩となる書籍

試験の概要、学習プランなどのオリエンテーションと、科目別の主要論点の入門講義を収載しています。フルカラーの豊富なイラスト、板書でスイスイ学習が進みます！

教科書、問題集は科目ごとに取り外しができます。まずは1科目ずつ進めていきましょう！

みんなが欲しかった！中小企業診断士の教科書全2冊

上：企業経営理論、財務・会計、運営管理
下：経済学・経済政策、経営情報システム、経営法務、中小企業経営・中小企業政策

フルカラーで学ぶ教科書！
本書でまずは合格に必要な基本事項をインプットしましょう。

みんなが欲しかった！中小企業診断士の問題集全2冊

上：企業経営理論、財務・会計、運営管理
下：経済学・経済政策、経営情報システム、経営法務、中小企業経営・中小企業政策

「教科書」に準拠した問題集！
過去問から重要問題を厳選収載。合格に必要な力をしっかり身につけましょう！

※装丁は変更になる場合がございます。

第1次試験 → 第2次試験

第1次試験対策 → **第2次試験対策**

最速合格のための
第1次試験　過去問題集
全7冊

①企業経営理論、②財務・会計、③運営管理、
④経済学・経済政策、⑤経営情報システム、
⑥経営法務、⑦中小企業経営・中小企業政策

過去5年分の本試験問題と
丁寧な解説を収載した科目別過去問題集
「中小企業診断士の問題集」をひととおり
解き終えたらチャレンジしてみましょう。

最速合格のための
要点整理ポケットブック
全2冊

1日目（経済学・経済政策、財務・会計、企
　業経営理論、運営管理）
2日目（経営法務、経営情報システム、中小
　企業経営・中小企業政策）

コンパクトサイズの要点まとめテキスト
第1次試験の日程と同じ科目構成の「要点
まとめテキスト」です。試験直前までの最
終チェックに最適です。

ポケットブックは、
暗記事項の最終チェック
にも役立ちます！

最速合格のための
第2次試験　過去問題集

過去5年分の本試験問題を収載
問題の読み取りから解答作成の流れを丁寧
に解説しています。抜き取り式の解答用紙
付きで実戦的な演習ができる1冊です。

第2次試験
事例Ⅳの解き方

事例Ⅳの解答プロセスが身につく
トレーニング問題集
テーマ別に基本問題・応用問題・過去問を
収載。TAC現役講師による解き方を紹介
しているので、自身の解答プロセスの構築
に役立ちます。

第2次試験
外さない答案への
攻略ロードマップ

「正解」より「プロセス」を重視した
診断士2次試験対策の演習本
演習に加えて、テーマ設定、プロセス確
認、出題者の意図の確認、出題者の立場で
の採点などを行うことにより、2次試験へ
の対応力を高め不合格を回避できる力を身
につけることができます。

第 1 章
経済学・経済政策

Section 1　国民経済計算と主要経済指標

Section 2　財市場の分析と IS 曲線

Section 3　貨幣市場の分析と LM 曲線

診断士試験で経済学・経済政策について学習するのはなぜ?

　企業経営を行ううえで、内部環境の分析と同様、外部環境を正しくとらえることも重要な要素のひとつとなります。外部環境には、顧客ニーズの変化や競合他社の動向、また新技術の開発や法の改正など、大小さまざまな要素がありますが、そのなかで、経済状況の変化というものも、企業に影響を与える大きな要因のひとつと考えられま

す。経済活動は、一個人や一企業という小さな範囲から、大きくは市場全体や国全体、さらには国と国との間など、さまざまな規模で行われています。そして、その大小問わずすべての結果として現状の経済が形作られているわけです。

　このような経済が、どのようなシステムで成り立っているのかを分析することが、経済学が目指すところです。中小企業診断士として、経営者が正しい経営判断を下すための助言をする際に、外部環境である経済状況の変化を正しく認識することは非常に重要であるといえます。経済学を学ぶことの意義は、そこにあります。

　ただ、実際の経済というのは無数の要因が複雑に絡み合って成立しているものであり、そのひとつひとつを紐解くのは実際には不可能です。そこで、**経済学では、この複雑に入り組んだ実際経済に、いくつかの前提（仮定）を設定し、なるべくシンプルなモデルに落とし込むことで、実際の経済を読み解こうとします。**

　ですので、学習を進めるなかで、経済学における仮定が実際の経済と食い違うように感じることがあるかもしれませんが、それはある程度仕方のないことなのだと理解してください。

　また、経済学の大きな特徴として、モデル化の際に数式やグラフを用いることが多くあります。これまで数式やグラフへの馴染みが薄かった方にとっては、初めのうちはとっつきにくい印象をもたれるかもしれません。ただ、**中小企業診断士試験の合格を勝ち取るためには、早い段階でこの数式の扱いやグラフでのとらえ方に慣れることが重要**です。本書でもいくつか紹介していますので、考え方や論理の進め方の感覚をつかんでください。

なお、経済学は、大きく分けてミクロ経済学とマクロ経済学の2つに分類することができます。

ミクロ経済学：一消費者や一企業、あるいはその集合である市場全体を扱う
マクロ経済学：一国全体や国同士の経済活動を扱う

本書では、実際のニュースや新聞で馴染みがあり、興味深く、また中小企業診断士試験でも毎年出題されているマクロ経済学の中から、重要項目であるGDP、物価指数、財市場および貨幣市場の分析について解説を進めていきます。

経済学・経済政策の体系図

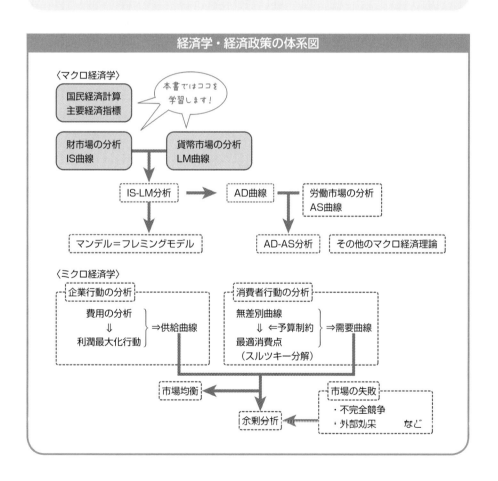

国民経済計算と主要経済指標

　ここでは、マクロ経済における重要な指標であるGDP（国内総生産）を学習します。また、物価水準の変動を考えることにより、名目と実質の関係性を学びます。マクロ経済全体にわたる重要な内容ですので、しっかり理解するようにしましょう。

1 GDP　国内での生産の総額！

　テレビのニュースや新聞などで、**GDP**という言葉を聞いたことがあると思います。景気の良し悪しを示す指標として一番馴染みがあるのがこのGDPではないでしょうか。GDPの変化率を経済成長率といい、プラスなら景気が上向いている、マイナスなら景気が下向いている、と判断されるひとつの材料になっています。

1 GDPってどんなもの？

　そもそも、GDPとは何でしょうか。

板書 GDPとは

GDP＝**G**ross **D**omestic **P**roduct の略（日本語では、国内総生産）

国内で行われた生産の総額を表している

より厳密に定義すると、

GDP ＝ ある国において一定期間内に生み出された付加価値の合計額

つまり → 国内のすべての産業の<u>付加価値</u>を足し合わせたもの

↓

生産額から原材料などの中間投入額を差し引いたもの

---

2 GDPを具体例で見てみると

GDPを具体的な例で見てみましょう。簡単にするために、農家と製粉業者とパン屋しかいない経済を考えてみます。

板書 GDPの具体例

	生産額（販売額）		中間投入額		付加価値
農家	300	−	0	=	300
製粉業者	500	−	300	=	200
パン屋	1,000	−	500	=	500

（万円）

すべての生産段階での付加価値の合計を求めると、

300万円＋200万円＋500万円＝1,000万円　GDP

この1,000万円というのは、**最終消費の額**（上の例でいうと、パン屋が消費者に販売した額）と等しくなります。つまり、GDPは最終消費の合計額と考えることもできます。

2 GNI

国民の所得の総額!

1 GNIってどんなもの?

GDP（国内総生産）と似た考え方として、**GNI**があります。

板書 GNIとは

GNI＝Gross National Income の略（日本語では、**国民総所得**）

GNI ＝ ある国の国民が一定期間内に受け取った所得の合計額

※GNIは、以前はGNP（Gross National Product）という名称が使われていた

日本で考えた場合、GDPが日本国内で生産された付加価値の総額、いい換えると日本国内で受け取る所得の総額（**3** の「三面等価の原則」により、付加価値の総額が、生産にかかわった者の所得と等しくなります）を表しているのに対し、GNIは、日本人（日本国民）が受け取る所得の総額を表しています。

したがって、**GDPに日本人が海外で得た所得を加え、外国人が日本国内で得た所得を引く**ことにより、**GNI**が計算されることになります。

GNI ＝ GDP＋海外からの所得受取り－海外への所得支払い

この2つをまとめて、「海外からの純所得受取り」ということもあります。

2 具体的な例でいうと

たとえば、海外に駐在する日本人のビジネスパーソンが生み出した所得は、日本のGDPには含まれませんが、日本のGNIには含まれることになります。また、日本国内に駐在する外国人のビジネスパーソンが生み出した所得は、日本のGDPには含まれますが、日本のGNIには含まれないことになります。

板書 GDPとGNI

	日本にいる 日本人	日本にいる 外国人	海外にいる 日本人
日本のGDP	○	○	× ← 国内じゃないので
日本のGNI	○	× ↑ 国民じゃないので	○

? 過去問にチャレンジ！ ─────────── 平成28年度第4問ア

国内総生産には、居住者である外国人の所得は含まれない。

× 日本国内で発生した所得は、日本人が受け取っても外国人が受け取っても日本の国内総生産（GDP）に含まれる。なお、日本に居住している外国人の所得は、日本の国民総所得（GNI）には含まれない。

1 分配面から見たGDP

　GDPとは、国内で新たに生み出された付加価値の総額のことでした。企業によって生み出されたこの付加価値は、その後、家計[※]に賃金として支払われたり、企業内に利潤として留保されたり、政府に税金として支払われたりすることになります。

用 語 ▶ **家計とは？**

　　企業・政府と並ぶ重要な経済主体のひとつで、個人や家庭が生活のために
　　行う金銭による活動の総称のことです。

　このように、生産によって生み出されたGDPは、家計・企業・政府などの経済主体に分配されます。このようにしてとらえられたGDPを「**分配面から見たGDP**」とよびます。この「分配面から見たGDP」は、事後的に「生産面から見たGDP」と等しくなります。

　なお、この「分配面から見たGDP」は、各経済主体からすると得られた所得と考えられるため、**所得面から見たGDP**ということもできます。

板書 **分配面から見たGDP**

　　分配面から見たGDP ＝ 家計の収入＋企業の利潤＋政府の収入

2 支出面から見たGDP

分配されたGDPは各経済主体によって、支出として使用されます。このようにとらえられたGDPを、「支出面から見たGDP」といいます。

なお、支出を別の面からとらえると、そこには需要が発生しているため、「支出面から見たGDP」を、需要面から見たGDPということもできます。

また、海外との貿易を考えた場合、国内で生産されるモノ・サービスに対する海外の需要も考慮し、「支出面から見たGDP」に、純輸出（輸出－輸入）を含むこともあります。

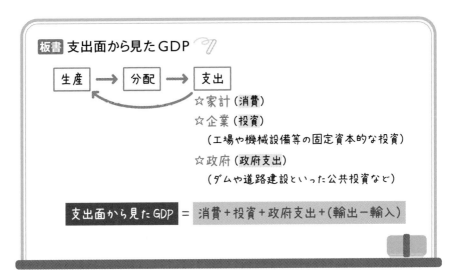

板書 支出面から見たGDP

生産 → 分配 → 支出

☆家計（消費）

☆企業（投資）
（工場や機械設備等の固定資本的な投資）

☆政府（政府支出）
（ダムや道路建設といった公共投資など）

支出面から見たGDP ＝ 消費＋投資＋政府支出＋（輸出－輸入）

この支出される対象は、結局生産されたものに対してになります（先のパンへの支出を思い出してみてください）。

以上のように、経済は「生産（つくる）」「分配（受け取る）」「支出（使う）」という3つの活動の間を循環しているととらえることができます。また、これは同一の価値を異なる3つの側面からとらえたものであり、事後的に、「生産＝分配＝支出」という関係が成立すると考えることができます。これを三面等価の原則といいます。

板書 三面等価の原則とは

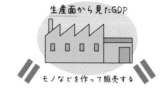

生産面から見たGDP

モノなどを作って販売する

分配面から見たGDP

賃金などを受け取る

支出面から見たGDP

消費として支出する

三面等価の原則 = 生産面から見た GDP、分配面(所得面)から見た GDP、支出面(需要面)から見た GDP が事後的に一致すること

? 過去問にチャレンジ！ ――――――――――――― 平成20年度第1問改題

　次の文章の、AとBに入ることばを答えよ。

　生産面から見たGDP、分配面から見たGDP、支出面から見たGDPが ［　A　］ に一致することを「三面等価の原則」という。このうち、生産面から見たGDP は各生産段階における ［　B　］ の総計に等しい。

> **A　事後的、B　付加価値**
>
> GDPは、一定期間内に各生産段階で新たに生み出された付加価値の総額（生産面から見たGDP）のことをいい、これが各経済主体に分配され、そこから各経済主体は生産に対する支出を行う。この3つが事後的に一致することを三面等価の原則という。

4 帰属計算

GDPに含めるものとは?

1 帰属計算とは?

先に見たように、GDPは市場で取引される財・サービスの総額を表しています。しかし、実際の市場での取引に現れなくても、あたかも取引が行われたように記録したほうが、実際の国民経済の姿を正確に表すケースがあります。このような、市場に現れない活動を例外的にGDPに算入させる操作を、帰属計算といいます。

2 帰属計算の例

代表的な帰属計算の例として、持ち家への居住と農家の自家消費があります。

持ち家は賃貸に出せば家賃収入を得ることができるにもかかわらず、自分たちで住んでいるため、経済活動の結果として反映されません。

また、農家の自家消費についても、作物を市場に出せばその分収入を得ることができるにもかかわらず、自らで消費するため、経済活動の結果として表には現れません。

これらを経済活動とみなしGDPに反映させる操作が、帰属計算です。

【帰属計算の例】

持ち家への居住

貸せば収入になるけど

自分たちで住んでいる

農家の自家消費

売れば収入になるけど

自分で食べている

国内総生産には、農家の自家消費や持ち家の帰属家賃は含まれない。

| × | 農家の自家消費や持ち家の帰属家賃は、市場経済に数値として反映されないが、農産物を市場に出したり、持ち家を貸し出したりすることで収入を得られるため、経済活動が行われたと仮定し、国内総生産（GDP）に組み込むことが行われる。これを帰属計算という。 |

5 物価指数

物価が上がった、下がったの指標！

「物価が上がった、下がった」というとき、その基準は何でしょう。

物価がどの程度上がったか／下がったかを表す指標として、**物価指数**というものがあります。代表的なものとしては、消費者が購入するモノ・サービスの価格を対象とした消費者物価指数（CPI）や、企業間で取引されるモノ・サービスの価格を対象とした企業物価指数（CGPI）などがあります。

> **ひとこと**
>
> 消費者物価指数は「経済の体温計」ともいわれているように、国民の生活水準が直接反映されるため、経済政策のかじ取りのための重要な指標とされています。

1 GDPと物価との関係

GDPは、ある期間内に国内で新たに生産されたモノ・サービスの付加価値の総額を表していました。

ただ、生み出されたモノ・サービスの量がまったく同じ水準であっても、仮にすべてのモノ・サービスの価格が2倍になった場合、GDPの数値も2倍となってしまいます。このような場合、GDPが2倍になったとはいえ、それは世の中全体の価格が2倍になったことが原因であり、実質的な生産レベルはまったく変化していないはずです。

つまり、結果の数値そのものだけでは、実質的な経済活動の水準を正確に表しているわけではない、ということになります。

このように、物価の変動を考慮しない額面上の値を **名目**、物価の変動の影響を考慮し名目値を修正した値を **実質** といいます。

つまり、実際の経済活動の水準を把握するためには、名目上のGDPの増減だけでなく、物価がどう変化したのかを考慮する必要があるわけです。

31ページの例で見てみましょう。

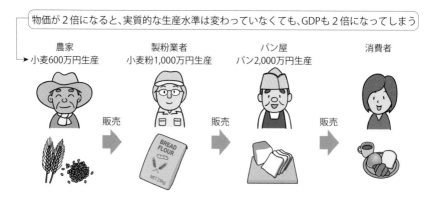

物価が2倍になると、実質的な生産水準は変わっていなくても、GDPも2倍になってしまう

農家
小麦600万円生産

製粉業者
小麦粉1,000万円生産

パン屋
パン2,000万円生産

消費者

販売

販売

販売

2 GDPデフレータ

物価水準の変動があるため、名目上（額面上）で表されたGDPを比較する
だけでは、実質的な経済活動の水準が良くなったのか、悪くなったのかを判
断する材料としては不十分です。つまり、経済の実態を表す実質的なGDP
（実質GDP）を算出するために、名目GDPから物価変動の影響を排除する必
要があります。

そのために用いられる物価指数が**GDPデフレータ**です。

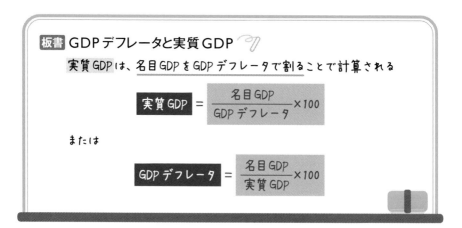

板書 GDPデフレータと実質GDP

実質GDPは、名目GDPをGDPデフレータで割ることで計算される

$$実質GDP = \frac{名目GDP}{GDPデフレータ} \times 100$$

または

$$GDPデフレータ = \frac{名目GDP}{実質GDP} \times 100$$

この式から、GDPデフレータが100より大きい場合、物価が上昇し、100より小さい場合、物価が下落していることになります。また、名目GDPを一定とした場合、物価（GDPデフレータ）が上昇すると実質GDPは減少し、物価（GDPデフレータ）が下落すると実質GDPは増加するということが確認できます。

❓ 過去問にチャレンジ！ ━━━━━━━━━━━━ 平成18年度第1問ウ

実質GDPは、名目GDPにGDPデフレーターを掛けた値に等しい。

> ✕ 実質GDPは、名目GDPを物価指数であるGDPデフレーターで割ることで計算される。

3 経済成長率

GDPの変化率を**経済成長率**といいます。すなわち、経済成長率とは、前期のGDPに対し、今期のGDPがどれだけ変化したかを表し、次の式で計算されます。

板書 経済成長率

$$経済成長率（\%）= \frac{今期のGDP - 前期のGDP}{前期のGDP} \times 100$$

GDPの変化した量

GDPの変化率

経済成長率にも名目と実質の2通りがあります。名目成長率は名目GDPがどれだけ増えたかを見るものであり、物価変動の影響が含まれます。一方、実質成長率は実質GDPの成長率を表し、物価の変動による影響は排除されます。

実質成長率は、名目成長率とGDPデフレータ変化率により、次の式で表されます。

板書 **実質成長率**

物価変動の影響を排除した成長率

実質成長率 = 名目成長率 − GDPデフレータ変化率

$$= \frac{\text{今期のデフレータ} - \text{前期のデフレータ}}{\text{前期のデフレータ}} \times 100$$

板書 **名目成長率と実質成長率の例**

名目成長率が10％であっても

このうち8％は物価の上昇によるものである場合

10％成長！

わーい

8％上昇

あれ？ そんなに成長していない…

実質成長率は2％ということになる

6 インフレとデフレ

インフレ＝物価上昇、デフレ＝物価下落！

日本は長年、デフレの状況下にあるといわれてきました。日本政府や中央銀行である日本銀行が、デフレ脱却のためにさまざまな政策を打ち出してきたことは、ニュースで耳にしていた方も多いことでしょう。

デフレ（デフレーション）とは、継続的な物価下落のことをいいます。また逆に、継続的な物価上昇のことをインフレ（インフレーション）といいます。

ここでは、インフレおよびデフレについて考えてみましょう。

1 インフレとはどういう状態のこと？

いま述べたとおり、インフレとは物価上昇が続く状態をいいます。

インフレが発生する要因は、いくつかあります。需要が供給を上回り市場にモノが不足した場合や、エネルギー費の高騰などによって生産コストが上がった場合などにインフレが発生します。

また、市場に出回る貨幣量が増えた場合も、インフレが発生します。

【インフレの仕組み】

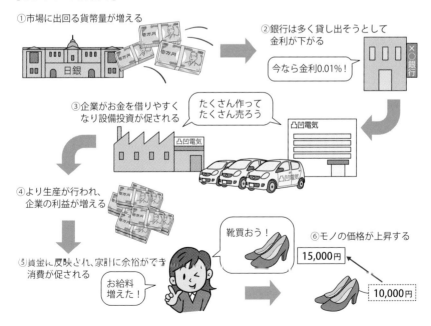

①市場に出回る貨幣量が増える

②銀行は多く貸し出そうとして金利が下がる

今なら金利0.01％！

③企業がお金を借りやすくなり設備投資が促される

たくさん作ってたくさん売ろう

④より生産が行われ、企業の利益が増える

⑤賃金に反映され、家計に余裕ができ消費が促される

お給料増えた！

靴買おう！

⑥モノの価格が上昇する

15,000円

10,000円

2 インフレ時の貨幣の価値

インフレ時は、貨幣の価値が下落します。これは以下のようにして説明することができます。

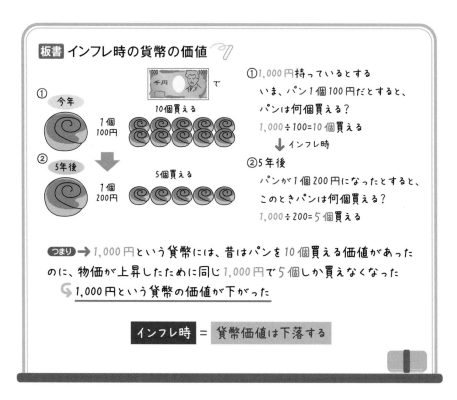

板書 インフレ時の貨幣の価値

① **今年**
1個 100円
10個買える

② **5年後**
1個 200円
5個買える

① 1,000円持っているとする
いま、パン1個100円だとすると、
パンは何個買える？
1,000÷100=10個買える
↓ インフレ時

② 5年後
パンが1個200円になったとすると、
このときパンは何個買える？
1,000÷200=5個買える

つまり → 1,000円という貨幣には、昔はパンを10個買える価値があったのに、物価が上昇したために同じ1,000円で5個しか買えなくなった
↪ 1,000円という貨幣の価値が下がった

インフレ時 ＝ 貨幣価値は下落する

3 債権者から債務者への所得再配分（債務者が得をする）

簡単にいうと、債権者とはお金を貸している人、債務者とはお金を借りている人のことです。

インフレ時は貨幣価値が下がるため、債務者が得をし、債権者が損をします。これを、「債権者から債務者への所得再配分が生じた」といいます（「実質所得が移転した」ということもあります）。

板書 債権者から債務者への所得再配分

債権者Aさん　　　債務者Bさん

貸します　　　ありがとう

1万円の靴が100足買える価値

5年後、インフレで物価上昇

返します

靴の値段が倍になってしまったから、　…　価値が半分に…

①たとえばAさんがBさんに、5年後に返してもらう約束をして100万円貸したとする
この場合、Aさんが債権者（お金を貸している人）、Bさんが債務者（お金を借りている人）

②インフレにより、5年の間に物価が上昇したとする
その場合、貨幣の価値は下がる（44ページの板書参照）

③つまり、Aさん（債権者）にとっては、5年前に貸した100万円が、5年後に価値が下がって戻ってくる（Aさんは損をしたことになる）
一方、Bさん（債務者）にとっては、5年の間に借りたお金の価値が下がり、返済の負担が減る（Bさんは得をしたことになる）

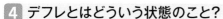

インフレ時 ＝ 債権者から債務者へ所得再配分が行われる

4 デフレとはどういう状態のこと？

継続的な物価下落の状態を**デフレ**といいます。

供給が需要を上回っている状態、つまり世の中にモノがあり余っているとき、デフレが進行すると考えられています（売れないモノが売れるためには、価格が下がる必要があるためです）。

5 デフレ時の貨幣の価値

インフレとは逆に、デフレ時は貨幣価値が上昇します。このため、デフレ時はインフレ時とは逆に、お金を貸している人が有利となり、お金を借りている人が不利となります。つまり、債務者から債権者への所得再配分（実質所得移転）が発生することになります。

板書 デフレ時の貨幣の価値と所得再配分

デフレ時 = 貨幣価値は上昇する
債務者から債権者への所得再配分が行われる

? 過去問にチャレンジ！ ──────── 平成25年度第9問設問2ア
インフレは債権者から債務者への実質所得移転をもたらす。

○ インフレ時には物価が上昇するため、貨幣価値は下落する。そのため、債権者が将来受け取る貨幣の価値も下がり、債権者は損をすることになる。一方、債務者にとっては将来返す借金の価値も目減りするため、債務者は得をすることになる。このことを、「債権者から債務者への実質所得の移転（所得の再配分）」という。

7 実質利子率と名目利子率 実質は物価の変化を踏まえたもの！

　銀行にお金を預け入れると、金利がつきます。たとえば、金利が年5％の場合、100万円預け入れると、1年後には105万円になります。

　100万円が105万円になるので、単純計算で5万円得したことになります。

　ところが、この1年の間に世の中のモノの値段（物価）が4％上昇しているとしたらどうでしょう。100万円の商品が1年後には104万円になるため、実質的な利益は1万円、つまり、元の100万円から考えると1％しか得しなかった計算になります。これは、世の中のモノの値段が上がったために、実質的な金利が目減りしたことを意味します。

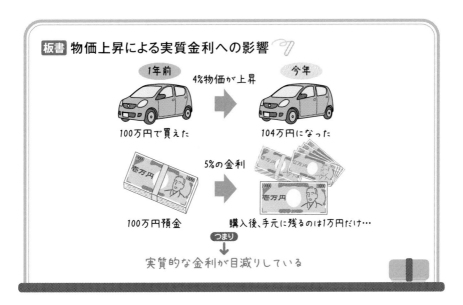

板書 物価上昇による実質金利への影響

1年前　4%物価が上昇　今年

100万円で買えた　104万円になった

5%の金利

100万円預金　購入後、手元に残るのは1万円だけ…

つまり

実質的な金利が目減りしている

　上の例でいう5％とは、額面上（見かけ）の金利です。これを**名目利子率**（ここでいう利子率とは金利のことを表しています）といいます。一方、実質的な金利（上の例でいう1％）を、**実質利子率**といいます。これらと物価上昇率4％の間には、次の関係式があります。これをフィッシャー方程式といいます。

板書 フィッシャー方程式

$$\boxed{実質利子率} = \boxed{名目利子率 - 物価上昇率}$$

名目利子率が物価上昇率の影響を加味しない額面上（見かけ）の利子率を指すのに対し、実質利子率は、名目利子率から予想される物価上昇率を差し引いたものとなります。

Section 2 財市場の分析とIS曲線

ここでは、マクロ経済で扱う市場のうち、財市場を見ていきます。財市場における需要と供給が一致するときの国民所得である均衡国民所得を導出し、続けて財市場における均衡国民所得と利子率の関係を表すIS曲線について学びます。

1 マクロ経済学の全体像　　マクロ＝国全体で見る、ということ！

マクロ経済学では、一国全体の経済活動をモデル化することにより、総消費、総投資、政府支出、租税、利子率、貨幣供給量、物価水準などが国民所得にどのような影響を与えるのかを分析します。国民所得とは、ある一定期間内に国民が稼いだ所得の合計額で、三面等価の原則により、マクロ経済学では国民所得とGDPを同じものとして扱います。

1 マクロ経済学における3つの市場

マクロ経済学の分析対象として、財市場、貨幣市場、労働市場の3つの重要な市場を考えます。それぞれ、次のような扱いがなされます。

板書 マクロ経済学における3つの市場

①財市場	②貨幣市場	③労働市場
一国全体の生産物（モノ・サービス）を扱う市場	貨幣※がやり取りされる市場	生産の基礎となる労働力が取引される市場

※本書では、中小企業診断士試験において特に重要度が高い①財市場と②貨幣市場について説明します

用語 貨幣とは？

経済学では、流動性（すぐにモノと交換できること）が高く利子がつかない（または十分小さい）資産のことをいいます。

2 マクロ経済学で使用するグラフ

マクロ経済学では、つぎのような、**IS曲線**、**LM曲線**というグラフを考えます。

また、**IS-LM分析**では、財市場と貨幣市場を同時に均衡させる国民所得と利子率を考え、政府や中央銀行による財政政策・金融政策が、国民所得や利子率にどのような効果を及ぼすのかを分析します（国民所得を上げることが、経済政策の大きな目的といえます）。

板書 財市場・貨幣市場で使用するグラフ

①IS曲線	②LM曲線	③IS-LM分析
財市場において、需要と供給を均衡させる国民所得と利子率の組み合わせを描いたもの	貨幣市場において、需要と供給を均衡させる国民所得と利子率の組み合わせを描いたもの	財市場と貨幣市場をともに均衡させる国民所得と利子率の組み合わせを考える

※本書では、①IS曲線と②LM曲線について説明します

---

3 ケインズ派の考え方

経済学には多様な概念や学派が存在しますが、本書では中小企業診断士試験で特に重要なケインズ経済学（ケインズ派）に沿って解説を進めていきます。

ケインズ派（イギリスの著名な経済学者J.M.ケインズの経済理論、経済思想を中心とする学派）では、経済成長（国民所得の増大）を実現させるためには、以下のような財政政策と金融政策を行うことが重要であると説いています。

板書 ケインズ派の財政政策と金融政策

財政政策 財市場において、政府が公共事業の拡大（または縮小）や減税（または増税）をすることによって、需要の拡大や抑制を図る政策

☆とくに不況期において、政府支出を増加させたり減税を行ったりする政策を、拡張的財政政策という

> 橋や道路といった公共インフラへの投資などの政府が行う支出のこと

金融政策 貨幣市場において、中央銀行（日本では日本銀行）が世の中に出回るお金の量（貨幣供給量）を調節し、経済の動きを調整する政策

☆貨幣供給量の調整以外に、利子率の調整、外国為替市場への介入などがある

☆とくに不況期において総需要を拡大させるために、貨幣供給量を増加させるような政策を拡張的金融政策という

ひとこと

　実際に各国で見られる経済政策も、主要なものは財政政策と金融政策に分けることができます。

　たとえば、アメリカでトランプ前大統領の下で行われた大幅減税やインフラ投資は、まさしくマクロ経済学でいう財政政策の二大柱です。

　また、日本国内で政府と中央銀行（日本銀行）が行っている量的金融緩和政策や金利誘導などは、マクロ経済学の金融政策がその下地となっています。

　このように、経済学を学ぶことが、実際の世界の経済政策を読み解くうえでも有益であることがわかります。

ではまず、**財市場**から見ていきましょう（財とは、モノ・サービスのことと思えばOKです）。ここでは、一国の国民所得（GDP）の水準がどのように決定されるのか、また、それが政府の政策によってどのような影響を受けるのかを分析します。

1 均衡国民所得の導き方

均衡国民所得とは、財市場の需要と供給が一致するときの国民所得のことです。では、財市場における需要と供給がそれぞれどう表されるのかを具体的に見ていきましょう。

❶ 財市場における需要

まず、需要面を考えてみましょう。35ページの「三面等価の原則」で見たとおり、財市場の需要 Y_D は、消費 C、投資 I、政府支出 G、純輸出（輸出 − 輸入）EX − IM から成り立つと考えられます。つまり、総需要は以下の式で表されます。これを総需要関数といいます。

$$\underset{\text{総需要}}{Y_D} = \underset{\text{消費}}{C} + \underset{\text{投資}}{I} + \underset{\text{政府支出}}{G} + \underset{\substack{\text{輸出} \quad \text{輸入}}}{(EX - IM)} \quad \cdots\cdots \quad ①$$

なお、ここからは、わかりやすくするために輸出入の影響を無視し、総需要関数を以下で考えることにします。

$$\underset{\text{総需要}}{Y_D} = \underset{\text{消費}}{C} + \underset{\text{投資}}{I} + \underset{\text{政府支出}}{G} \quad \cdots\cdots \quad ②$$

続いて、消費 C は、国民所得 Y、限界消費性向 c^*、独立消費 C_0^* を用いて次の式で表されます。

$$\underset{\text{消費}}{C} = \underset{\substack{\text{国民所得の増加のう} \\ \text{ち消費にまわす分}}}{cY} + \underset{\text{独立消費}}{C_0} \quad \cdots\cdots \quad ③$$

これをケインズ型消費関数といいます。

用語 限界消費性向cとは？

所得（簡単にお給料とイメージすればよいでしょう）が増加したときに消費がどれだけ増加するのか、その割合を表しています。たとえば、限界消費性向$c = 0.75$とは、国民所得が100万円増加すれば、そのうちの75万円を消費にまわす（残りの25万円は貯蓄にまわす）ということを意味します（いま租税は無視しています）。また、限界消費性向cは得られた国民所得のうちどれだけを消費に使うかという割合を表すため、0から1の間の数値をとることになります。

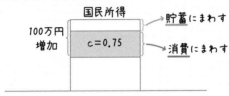

用語 独立消費C_0とは？

所得がゼロであっても、生存のために最低限必要な消費の額を表します。基礎消費ともいいます。

　ところで、所得から所得税などの税金（経済学では租税といいます）が引かれるのが一般的です。この国民所得Yから租税Tを引いたY－Tのことを、<u>可処分所得</u>といいます。実際に消費に使われるのは、この可処分所得に限界消費性向cをかけたものになります。

　すなわち、消費関数は以下のように表したほうが実際に即しているといえます。

$$C = c(Y-T) + C_0 \quad \cdots\cdots \quad ④$$
消費　　可処分所得　　独立消費
→限界消費性向

　これを、総需要の式②$Y_D = C + I + G$に代入することによって、

$$Y_D = \underset{\text{消費}}{c(Y-T)+C_0} + \underset{\text{投資}}{I} + \underset{\text{政府支出}}{G} \quad \cdots\cdots \quad ⑤$$

総需要

という式を導くことができます。

ここでは総需要として、今後この⑤式を使っていくことにします。

❷ 財市場における供給

では、続いて財市場における総供給を考えてみましょう。

ここでいう総供給とは、日本国内で生産されるモノ・サービスの合計額を表しています。

つまり、先に見た「三面等価の原則」でいう、「生産面から見たGDP」を意味します。

また、同じく確認したように、生産によって生み出された価値が、各経済主体に所得として配分されます。つまり、**総供給と国民所得は同じものと考える**ことができます。

すなわち国民所得をYとすると、総供給Y_Sについて、以下の式が成り立ちます。

$$\underset{\text{総供給}}{Y_S} = \underset{\text{国民所得}}{Y} \quad \cdots\cdots \quad ⑥$$

❸ 均衡国民所得

以上、これまで財市場における総需要と総供給を数式で表してきました。

では、これより均衡国民所得を考えていきましょう。**均衡国民所得**とは、総需要（⑤式）と総供給（⑥式）が一致するときの国民所得のことでした。

つまり、以下の式を考えることになります。

$$Y_S = Y_D \quad (総供給＝総需要)$$

$$\underbrace{Y}_{総供給} = \underbrace{c(Y-T)+C_0+I+G}_{総需要}$$

これを、Y＝の形に式変形してみます。すると、

$$Y=cY-cT+C_0+I+G$$
$$Y-cY=\quad -cT+C_0+I+G$$
$$(1-c)Y=\quad -cT+C_0+I+G$$
$$\underbrace{Y}_{国民所得} = \frac{1}{1-c}(-c\underbrace{T}_{租税}+\underbrace{C_0}_{独立消費}+\underbrace{I}_{投資}+\underbrace{G}_{政府支出}) \quad \cdots\cdots \quad ⑦$$

限界消費性向

となります。このYが、均衡国民所得を表しています。

2 乗数効果

ここでは、投資や政府支出、租税などの変化が国民所得にどのような影響を与えるのかについて見ていきます。結論として、投資・政府支出・租税が変化したときに、均衡国民所得の変化量はその数倍になることが知られています。このような現象を乗数効果といいます。

❶ 投資乗数

たとえば、投資Iが増加した場合を考えてみます。⑦式により、国民所得の増加量は、投資の増加分に$\dfrac{1}{1-c}$をかけたものに等しくなることがわかります。cは限界消費性向で、この値は0から1の間であることから、$\dfrac{1}{1-c}$は1より大きい値となります。つまり、投資の増加分以上に、国民所得が増えることがわかります。

これが乗数効果で、この場合の$\dfrac{1}{1-c}$を投資乗数といいます。

❷ 乗数効果のイメージ

乗数効果は、次のように説明することができます。

板書 乗数効果

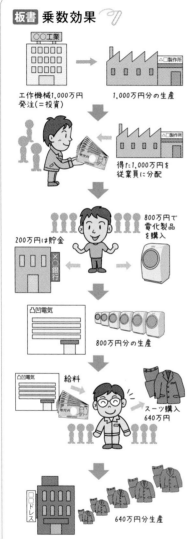

工作機械1,000万円発注（=投資）

1,000万円分の生産

得た1,000万円を従業員に分配

200万円は貯金　800万円で電化製品を購入

800万円分の生産

給料　スーツ購入 640万円

640万円分生産

① ある企業が設備投資として工作機械1,000万円を発注し、受注した工作機械メーカーは、1,000万円分の生産を行う（つまり、新たに国民所得が1,000万円発生することになる：生産=国民所得）

② 工作機械メーカーが得た1,000万円が、その従業員に所得として分配される

③ 従業員はそのうちの一部を貯金し、残りの800万円で電化製品を購入したとする（限界消費性向c=0.8）

④ それに伴い、家電メーカーは800万円分の生産を行う（ここでまた新たに800万円の国民所得が生まれることになる）

⑤ 家電メーカーは得られた800万円を従業員に所得として分配し、従業員はそのうちの640万円（80%）をスーツに消費したとする（限界消費性向c=0.8）

⑥ スーツメーカーは640万円の生産を行うので、ここでさらに640万円の国民所得が生まれる

⑦ 以降これが繰り返される

$$投資の増加分 \longrightarrow 1,000万円$$

$$国民所得の増加分 \longrightarrow 1,000万円+800万円+640万円+\cdots$$

つまり 最初の投資額より、大きい国民所得が生み出される!

このように、1,000万円の投資でスタートした流れが次々と新しい消費を生み、またその都度新しい生産が行われることで次々と国民所得を生んでいきます。この連鎖により、当初の投資額の何倍もの国民所得が生み出されることになります。これが乗数効果のイメージです。

❸ 政府支出乗数と租税乗数

これまで、投資の変化による国民所得への影響を見てきましたが、政府支出の変化による国民所得の変化についても、同じことがいえます。

$$\underset{\text{国民所得}}{Y} = \frac{1}{1-\underset{\underset{\text{限界消費性向}}{\uparrow}}{c}}(-\underset{\text{租税}}{cT} + \underset{\text{独立消費}}{C_0} + \underset{\text{投資}}{I} + \underset{\text{政府支出}}{G}) \quad \cdots\cdots ⑦$$

上の⑦式において、政府支出Gのみを変化させたときの国民所得への影響を考えた場合、55ページで確認したのと同様に、政府支出の増加分に$\dfrac{1}{1-c}$をかけた分だけ国民所得が増加することになります。

この場合の$\dfrac{1}{1-c}$を**政府支出乗数**といいます。

$$\underset{\text{国民所得}}{Y} = -\frac{1}{1-\underset{\underset{\text{限界消費性向}}{\uparrow}}{c}}(\underset{\text{租税}}{cT} - \underset{\text{独立消費}}{C_0} - \underset{\text{投資}}{I} - \underset{\text{政府支出}}{G}) \quad \cdots\cdots ⑧$$

さらに、租税の変化による国民所得への影響についても考えてみましょう。⑦式の符号を変形した⑧式を確認すると、租税Tが変化した場合の国民所得

への変化への寄与は、$-\dfrac{c}{1-c}$であることがわかります。

この$-\dfrac{c}{1-c}$を**租税乗数**といいます。ここでマイナスの符号がついているのは、租税の増減と国民所得の増減が逆になることを表しています（すなわち、増税すれば国民所得が減少し、減税すれば国民所得が増加することになります）。

平成22年度第5問改題

? 過去問にチャレンジ！

次の均衡国民所得額の正誤を判定せよ。

いま、家計、企業、政府から構成される閉鎖経済モデルを考える。ここで、各記号は、Y：GDP、C：消費支出、I：民間投資支出、G：政府支出、T：租税収入、C_0：独立消費を意味し、単位は兆円とする。また、cは限界消費性向とする。

生産物市場の均衡条件　　Y＝C＋I＋G
消費関数　　C＝C_0＋c（Y－T）
　　　　　　　　　　C_0＝60、c＝0.6
民間投資支出　　I＝120
政府支出　　　　G＝50
租税収入　　　　T＝50

このとき、均衡国民所得は500兆円である。

○ 生産物市場（財市場のこと）の均衡条件の式Y＝C＋I＋Gが与えられているが、この式の左辺は総供給を表しており（総供給は国民所得Yと同等）、右辺は総需要を表している。つまり、この式は供給と需要が均衡していることを表している。よって、この式を満たす国民所得Yが求める均衡国民所得となる。

この式のうち、消費Cに関しては、与えられた消費関数C＝C_0＋c（Y－T）を代入する。すると以下の式が得られる。

$$Y＝C_0＋c（Y－T）＋I＋G$$

ここに、与えられた独立消費C_0、限界消費性向c、民間投資支出I、政府支出G、租税収入Tの数値を代入し計算することで、均衡国民所得Yの値が求まる。

$$Y＝60＋0.6×（Y－50）＋120＋50$$
$$＝0.6Y＋200$$
$$0.4Y＝200$$
$$Y＝200÷0.4＝500$$

よって、均衡国民所得は500兆円であり、正しい。

3 IS曲線　利子率が下がると国民所得が上がる、右下がりの曲線！

　ここまでは、利子率については考慮してきませんでした。ここからは、利子率の影響を考えてみましょう。なお、ここでいう利子率とは、企業が銀行からお金を借り入れる際の返済金利だとイメージするとよいでしょう。

1 投資と利子率の関係

　企業が生産活動をするためには、工場や機械などの設備投資をする必要があります。その際、銀行からお金を借りるのが一般的です。

　ここで、利子率と投資の関係を考えてみましょう。利子率が高いということは、資金を調達するためのコストが高くなることを意味し、このとき企業はお金を借りるのをひかえ、その結果投資は抑制されます。逆に、利子率が低ければ、資金を調達するためのコストが低くなるため、企業がお金を借りやすくなる結果、投資活動がしやすくなります。

　つまり、次のことがいえます。

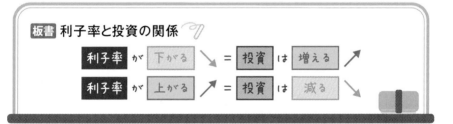

板書 利子率と投資の関係

利子率 が 下がる ＝ 投資 は 増える

利子率 が 上がる ＝ 投資 は 減る

このイメージは財市場を考えるうえで非常に重要です。

2 IS曲線は何を表しているの?

2 の「**1**均衡国民所得の導き方」では、投資が一定という前提のもとで均衡国民所得を考えましたが、ここからは投資が利子率によって変化することを加味して考えてみましょう。

利子率が変化すると投資が変化するため、均衡国民所得（財市場の需要と供給が一致するときの国民所得）も当然それに応じて変化します。

このような、<u>財市場における利子率と均衡国民所得の関係をグラフにした</u><u>ものが、IS曲線</u>です。

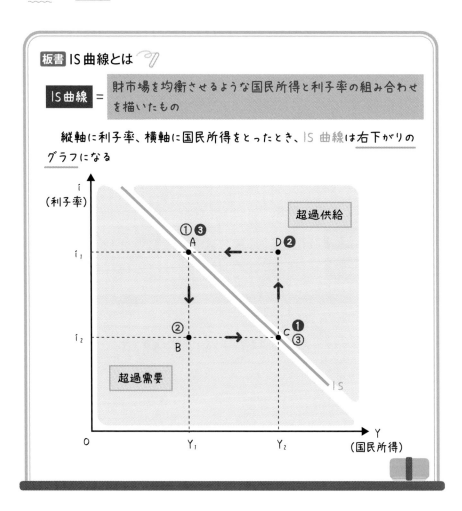

板書 IS曲線とは

| IS曲線 | = | 財市場を均衡させるような国民所得と利子率の組み合わせを描いたもの |

縦軸に利子率、横軸に国民所得をとったとき、IS曲線は<u>右下がりのグラフになる</u>

3 IS曲線が右下がりになる理由

IS曲線が右下がりになる理由は、以下のように説明できます。

①はじめ、利子率i_1と国民所得Y_1という組み合わせ（A点）で財市場が均衡していたとします（点AはIS曲線上にあるので、このとき財市場は均衡しています）。

②ここで利子率がi_2に下降（B点へ移動）したとします。利子率が下がると、すでに確認したように企業はお金を借りやすくなり投資が増加します。52ページの①式より、投資が増えると総需要が増えます。いま総供給は変化しないとすると、この状態で総需要が総供給を上回ることになります。以上より、IS曲線の下側（B点付近）は「財市場が超過需要」の状態であることがわかります。

次に、③再び均衡に戻すことを考えます。それには、超過需要の状態を解消する必要があり、結果、供給（＝国民所得）が増えることになります。利子率がi_2のまま、国民所得が増加することにより、新たに利子率i_2と国民所得Y_2の組み合わせ（C点）で財市場は再び均衡することになります。

今度は❶C点を基準に考えてみます。❷ここで利子率がi_1に上昇（D点へ移動）したとすると、供給は一定のまま、投資（需要項目のひとつ）が減少します。したがって、IS曲線の上側（D点付近）は需要が供給を下回っている状態、すなわち「財市場が超過供給」の状態となることがわかります。

❸再び財市場を均衡に戻すためには、この超過供給を解消させるべく、供給（＝国民所得）を減らす必要があります。これにより、利子率i_1のまま国民所得が下がり、結果として新たに利子率i_1と国民所得Y_1の組み合わせ（A点）で財市場は均衡することになります。

つまり、A点とC点はともに財市場を均衡させる点であり、これらを結んだものがIS曲線になります。よって、IS曲線は右下がりになることがわかります。

また、IS曲線の上側と下側（財市場が均衡しない国民所得と利子率の組み合わせを表す領域）で、需要と供給の大小関係が次のようになることもわかりました。

> IS曲線の上側の領域 = 財市場は超過供給
>
> IS曲線の下側の領域 = 財市場は超過需要

? 過去問にチャレンジ！ ━━━━━━━━━━━ 平成24年度第9問エ

　利子率が高い水準にあると投資水準も高くなると考えられることから、生産物市場の均衡を表すIS曲線は、右下がりに描かれる。

> ✗ 利子率が高い水準では、企業はお金を借りにくくなる（お金を借りる際のコストが大きくなる）ため、投資は抑制される（投資水準は低くなる）と考えられる。よって、投資が減少することから、利子率が高い水準では国民所得は小さくなり、結果IS曲線は右下がりになる（よって、後半部分は正しい）。
> ※「生産物市場」とは「財市場」のことである。

? 過去問にチャレンジ！ ━━━━━━━━━━━ 平成29年度第8問a

　ケインズの投資理論によれば、利子率の低下は投資を増加させる。

> ○ ケインズの投資理論によると、企業が銀行から資金を借りる際の調達コストである利子率が低下することにより、企業は資金調達がしやすくなるため、投資（機械・設備などの固定資産に対する投資）が増加する。

Section 3 貨幣市場の分析とLM曲線

続いて、マクロ経済の市場のうち貨幣市場を見ていきます。貨幣市場の性質を学習したあと、貨幣市場における均衡国民所得と利子率の関係を表すLM曲線を考えていきましょう。

1 貨幣市場の分析　　取引需要と投機的需要とは？

貨幣市場とは文字どおり、貨幣のやり取りが行われる市場のことをいいます。

ここでも供給側と需要側があります。貨幣を供給するのは、中央銀行（日本では日本銀行）であり、貨幣を需要するのは、家計・企業・政府です。

1 貨幣市場における需要

まず、貨幣市場における需要側から見ていきましょう。

貨幣需要とは、貨幣を保有しようとすることです。この貨幣需要は大きく貨幣の取引需要とよばれるものと、貨幣の投機的需要とよばれるものの、2つに分類することができます。

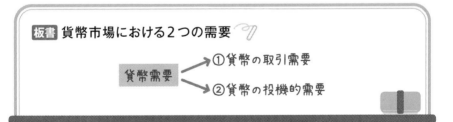

板書 貨幣市場における2つの需要

貨幣需要 →①貨幣の取引需要　→②貨幣の投機的需要

それぞれどういったものなのか、順に見ていくことにしましょう。

❶ 貨幣の取引需要

そもそも貨幣は何のために存在しているかというと、モノやサービスを購

入する際に必要となるからですね。これが、貨幣が本来有する価値です。つまり、モノやサービスと交換するために貨幣をもとうとすること、これが**貨幣の取引需要**です。

　貨幣の取引需要は、国民所得の増加関数となります。増加関数とは、片方が増えればもう片方が増え、片方が減ればもう片方も減る関係のことをいいます。すなわち、国民所得が増加すると貨幣の取引需要が増加し、国民所得が減少すると貨幣の取引需要も減少するわけです。

これは、世の中の景気がよくなれば皆が買い物をしたくなり、それだけ貨幣を欲しがる、というようにイメージするとよいでしょう。

板書 貨幣の取引需要

お給料
上がった！
お洋服買おう！

お給料
減った…
お洋服
ガマン

取引需要増加　　　　　取引需要減少

国民所得が増加 ＝ 貨幣の取引需要は増加

国民所得が減少 ＝ 貨幣の取引需要は減少

❷ 貨幣の投機的需要

　続いて、貨幣需要のもうひとつの側面である貨幣の投機的需要を見ていきましょう。この前提として、マクロ経済学において資産を保有する方法には、貨幣※と債券※の2通りがあることを確認しておく必要があります（ここでいう資産とは、貯蓄の累積のことを指していると考えてください）。

　貨幣と債券は、次のように区別されます。

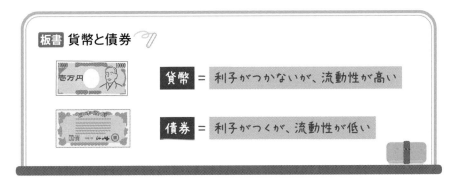

板書 貨幣と債券

貨幣 = 利子がつかないが、流動性が高い

債券 = 利子がつくが、流動性が低い

用語 ▶ 貨幣、債券とは？

貨幣とは現金や預金など、保有していても利子がつかない（あるいはわずかしかつかない）資産のことをいいます。利子がつかない代わりに、使おうと思ったときにすぐ使うことができます（これを「流動性が高い」といいます）。
一方、債券は、保有することで利子がつく資産のことで、国債や社債などをイメージするとよいでしょう。このままではモノやサービスと交換できないので、流動性は低いといえます。

❸ 利子率の影響

　人が資産を保有する場合、「貨幣でもつか、債券でもつか」のどちらかを必ず選択することになります（つまり、貨幣と債券はウラオモテの関係といえます）。この選択の配分に影響を与えるのが、利子率です。利子のつく資産が債券でしたが、ここでいう利子率とは、債券のリターン率のことと考えてください。

利子率が高ければ、それだけ債券でもつことのメリットが大きくなるので、債券の需要が高まります。ここで、債券と貨幣はウラオモテの関係であることを思い出すと、「債権の需要が増える」＝「貨幣の需要が減る」ということになります。つまり、**利子率の上昇は、貨幣の（投機的）需要の減少につながります。**

　逆に、利子率が低い場合、資産を債券で保有することのメリットが小さくなります。一方、貨幣には流動性があるため、利子率が低い状況では、債券でもつことよりも貨幣でもつことが好まれることになります。つまり、**利子率の低下は、貨幣の（投機的）需要の増加につながります。**

　以上をまとめると、次のようになります。

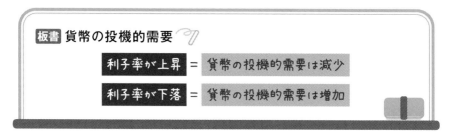

　つまり利子率の増減によって、資産をどの程度債券で保有するかの度合いが変わってきます。またそれに伴い、債券とウラオモテの関係である貨幣の保有の度合い（これがつまり貨幣需要です）も変化します。このように、利子率の水準によって、資産を債券よりも貨幣でもとうとする動機のことを「貨幣の投機的需要」といいます。

　なお、利子率が上がれば貨幣の投機的需要が下がる（あるいは、利子率が下がれば貨幣の投機的需要が上がる）関係を、「貨幣の投機的需要は利子率の減少関数である」といいます。

2 貨幣市場における供給

続いて、貨幣市場の供給側を考えてみましょう。

貨幣を供給する主体は、中央銀行（日本では日本銀行）であり、実質貨幣供給量※は、貨幣需要とは関係なく金融政策や物価水準によって決まります。

特にことわりがない限り、貨幣市場の分析では実質貨幣供給量は一定として考えます。

用語▶ 実質貨幣供給量とは？

物価変動の影響を考慮した実質的な貨幣供給量のことです。名目貨幣供給量を物価水準で割ることで計算されます。

1 LM曲線は何を表しているの？

　LM曲線とは、貨幣市場において、貨幣の需要と供給が一致するような国民所得と利子率の組み合わせを描いた曲線のことをいいます。

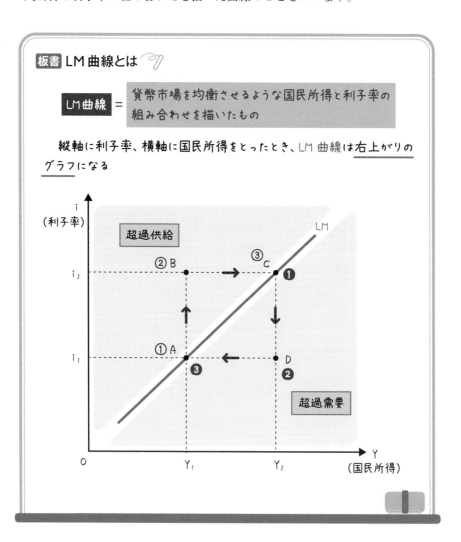

板書 LM曲線とは

| LM曲線 | = | 貨幣市場を均衡させるような国民所得と利子率の組み合わせを描いたもの |

縦軸に利子率、横軸に国民所得をとったとき、LM曲線は**右上がりのグラフになる**

貨幣需要が取引需要と投機的需要で構成されており、これらはそれぞれ国民所得と利子率によって増減します。よって、実質貨幣供給量を一定とした場合、貨幣市場の均衡は、貨幣需要に影響を与える利子率と国民所得の水準によって決まることになります。

2 LM曲線が右上がりになる理由

LM曲線が右上がりになる理由は、以下のように説明できます。

①いま、利子率 i_1 と国民所得 Y_1 という組み合わせ（A点）で貨幣市場が均衡していたとします。

②ここで利子率が i_2 に上昇（B点へ移動）したときを考えます。利子率の上昇により、債券の魅力が高まるため債券の需要が増加し、その結果貨幣の（投機的）需要は減少します。このとき貨幣供給量が変わらないとすると、貨幣需要が貨幣供給を下回ることになります。すなわちLM曲線の上側は「貨幣市場が超過供給」の状態となります。

この超過供給を解消し再び貨幣市場を均衡させるためには、貨幣供給量が一定とすると、貨幣需要が増える必要があります。そこで、貨幣需要のもうひとつの側面である貨幣の取引需要を増やすことによって、減少した貨幣需要が上がることになります。貨幣の取引需要は、国民所得の増加によって実現されました。つまり、B点から国民所得が増える結果、③新たに利子率 i_2 と国民所得 Y_2 の組み合わせ（C点）で貨幣市場は再び均衡することになります。

❶今度はC点を基準に考えてみます。❷ここで利子率が i_1 に下落（D点へ移動）したとします。利子率の下落により、債券の魅力が下がるため債券の需要が減少し、結果貨幣の（投機的）需要は増加します。また貨幣供給量は変わらないため、LM曲線の下側は「貨幣市場が超過需要」の状態となることがわかります。

この超過需要を解消し再び貨幣市場を均衡させるためには、需要を減らす必要があります。つまり、貨幣の取引需要が減少することで、国民所得も減少します。よって、❸新たに利子率 i_1 と国民所得 Y_1 の組み合わせ（A点）で貨幣市場は再び均衡することになります。

つまり、A点とC点はともに貨幣市場を均衡させる点であり、これらを結んだものがLM曲線になります。よって、LM曲線は右上がりになることがわかります。

　また、LM曲線の上側と下側（貨幣市場が均衡しない国民所得と利子率の組み合わせを表す領域）で、需要と供給の大小関係が次のようになることもわかりました。

板書 LM曲線の上側、下側の需要と供給の関係

LM曲線の上側の領域	=	貨幣市場は超過供給
LM曲線の下側の領域	=	貨幣市場は超過需要

? 過去問にチャレンジ！ ━━━━━━━━━━ 平成29年度第9問設問1イ改題

次の文章の正誤を判定せよ。

IS曲線、LM曲線は、それぞれ生産物市場と貨幣市場を均衡させるGDPと利子率の関係を表している。図のⅡの領域では、生産物市場と貨幣市場がともに超過供給である。

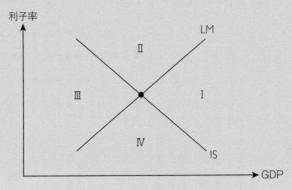

○ IS曲線は生産物市場（財市場のこと）を均衡させる国民所得と利子率の組み合わせを表しており、その上側が超過供給、下側が超過需要である。また、LM曲線は貨幣市場を均衡させる国民所得と利子率の組み合わせを表しており、こちらもその上側が超過供給、下側が超過需要を表している。

Ⅱの領域は、IS曲線、LM曲線ともに上側であるため、ここでは生産物市場と貨幣市場がともに超過供給となっている。

「下町の希望：経済学がもたらす未来」

　下町の一角にある小さな町工場、田中製作所は、自動車部品や電気機械部品の製造を手掛けている。従業員は10名ほどで、その多くが長年勤め上げたベテラン職人たちだ。

　しかし、彼らも高齢化が進み、社長は将来に対する不安を抱えていた。地域の工業高校とのパイプはあるものの、新しい従業員を雇用するには景気の不透明さが壁となっていた。

　そんなある日、社長は中小企業診断士を紹介された。この診断士は「経済学・経済政策」に詳しく、特に為替の動きや投資のタイミングについての知識が豊富だった。

　社長は最初は半信半疑であったが、診断士の話に耳を傾けることにした。

　診断士は、まず、為替の動向が自動車部品や電気機械部品の製造業にどのような影響を与えるかを説明した。

　円高が進むと輸出が難しくなり、逆に円安が進むと輸出が有利になる。この知識をもとに、社長へ今後の為替の見通しを伝え、適切なタイミングでの設備投資を提案した。

　「円安が続いている今が投資のチャンスです。新しい機械を導入し、生産性を向上させることで競争力を強化しましょう。」

　さらに、診断士は経済学の理論を用いて、社長に景気の変動に対応する戦略をアドバイスした。

　「景気が良くなっている今こそ、積極的に若手の雇用を増やし、将来の技術継承に備えるべきです。景気が悪くなった場合には、柔軟な労働力を確保するためにパートタイムや契約社員の活用も考えましょう。」

　診断士の助言により、社長はこれまでの不安が少しずつ解消されていくのを感じた。

　新しい機械を導入し、地域の工業高校から若手を積極的に雇用することで、田中製作所は次第に活気を取り戻していった。

(F)

第2章
財務・会計

診断士試験で財務・会計について学習するのはなぜ?

　中小企業診断士試験における財務・会計に関する知識は、企業経営の基本です。経営戦略を構築するためには、企業の経営状況を客観的に把握することが必要となります。そのときに使われる知識が財務・会計です。具体的には、企業の資産や負債などの数値的な状況を表す**財務諸表という報告書の作成**や、**報告書の数値を用いた管理活動**、**経営分析**といった領域になります。企業の状況を客観的に把握することは、出資者への情報提供にも、企業のマネジメントにも有用なスキルとなります。

　また、企業経営には各種の経営資源が必要ですが、そのなかでも「資金」は最も重要な経営資源のひとつと考えることができます。中小企業は、成長戦略の一環として、設備投資や他社の買収を行うケースが増大することが考えられます。その投資資金を外部から調達するためには、割引キャッシュフローの手法を活用した投資評価や企業価値の算定等の知識が必要になります。この**投資や企業の価値評価**をするのも財務・会計の領域となります。

　このように、企業の数値周りの状況を把握したり、将来の投資や企業価値の予測計算に資するスキルは、中小企業診断士が診断業務をするうえでの「羅針盤」になり、必須の知識であるといえます。

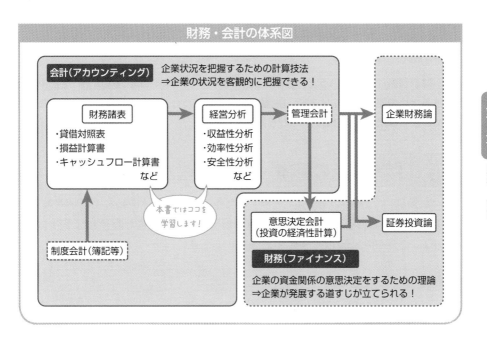

はじめの一歩として、「会計の用語に慣れる」＋「経営分析を通して
財務諸表の構造に慣れる」ことを学習の目標にしましょう！

財務諸表

　財務諸表は簡単にいうと、企業の状態（儲かっているか、倒産しないか等）を把握するための報告書になります。「財務・会計」でずっとかかわる基本項目であるため、まずは用語に慣れるところから始めましょう。

1 財務諸表の基本 　企業の経営成績、財政状態を明らかにする書類！

　企業は、その経営活動により発生した各種取引を帳簿に記入（これを簿記※といいます）し、それを最終的には報告書にまとめて報告しなければなりません。この報告書を**財務諸表**とよびます。

用語▶ 簿記とは？

簿記（Bookkeeping）とは、77ページの **板書** に示したように、①日々の企業活動を帳簿に記入し、②その結果を一定期間ごとに報告書（財務諸表）にまとめることによって、企業の経営成績（もうけ）および財政状態（財産の状態）を明らかにするための一連の処理のことをいいます。

板書 会計のイメージ

取引　　帳簿　　報告書

内部報告者　経営者
役員など

外部報告者　株主
銀行など

1 財務諸表の作成目的

　財務諸表を作成することによって、経営者に対しては企業の維持・成長に役立つ情報を提供（管理会計目的）し、さらに、利害関係者（株主、投資家、債権者、国家等）に対しては、その企業への投資等に関する判断に必要な情報等を提供（財務会計目的）します。このように、**財務諸表**は会計の2つの側面である管理会計と財務会計に対して、数値の面から有用な情報を提供することになります。

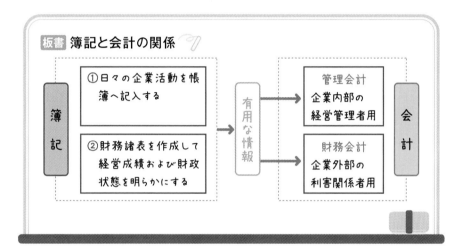

2 財務諸表の種類

　財務諸表は、いろいろな種類が存在しますが、試験対策として特に重要な財務諸表は、以下の3つになります。

① 貸借対照表……**2** ～ **4** で説明
② 損益計算書…… **5** 、 **6** で説明
③ キャッシュフロー計算書

> ### ひとこと
> 　キャッシュフロー計算書は、現金預金等の増減やその要因を表す財務諸表です。キャッシュフロー計算書は本書では詳細は取り扱いませんが、損益計算書では把握できない企業の資金の状況がわかるため、試験上も実務上も大変重要な財務諸表です。

2 貸借対照表① 貸借対照表の構造 <u>基本形を理解!</u>

1 貸借対照表（B/S）は何を表しているの？

　貸借対照表は、ある時点（通常は事業年度末）における、企業の財政状態を表す財務諸表です。バランスシート（Balance Sheet：B/S）ともいいます。

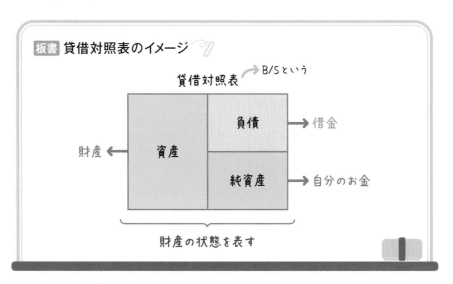

板書 貸借対照表のイメージ

貸借対照表　→ B/Sという

財産 ←　資産　　負債 → 借金

　　　　　　　　純資産 → 自分のお金

財産の状態を表す

ひとこと

　貸借対照表の最初のポイントは、構造と各項目を覚えることです。
　いきなりすべてを暗記しようとしないで、勉強を進めるうちに徐々に覚えるようにしましょう。

---

2 貸借対照表の構造

　貸借対照表の具体例は次のようになります。以下、この具体例をもとに各項目について説明をしていきます。

　財務諸表の構造を理解するポイントは、グルーピングです。どのように細分化されているかを中心に押さえましょう。

貸 借 対 照 表
(X2年3月31日現在)　　　　(単位：千円)

資産の部			負債の部		
流動資産			**流動負債**		
現金及び預金		25,000	支払手形		30,000
受取手形 〈マイナス〉	100,000		買掛金		35,000
貸倒引当金	△5,000	→ 95,000	短期借入金		18,000
売掛金	60,000		その他流動負債		6,800
貸倒引当金	△3,000	→ 57,000	流動負債合計		89,800
有価証券		15,000	**固定負債**		
商品		50,000	社債		75,000
短期貸付金	10,000		長期借入金		40,000
貸倒引当金	△500	→ 9,500	固定負債合計		115,000
その他流動資産		1,500	負債合計		204,800
流動資産合計		253,000	**純資産の部**		
固定資産			**株主資本**		
（有形固定資産）			資本金		100,000
建物	60,000		資本剰余金		
減価償却累計額	△27,000	→ 33,000	資本準備金		15,000
車両運搬具	5,000		その他資本剰余金		5,000
減価償却累計額	△1,500	→ 3,500	資本剰余金合計		20,000
土地		30,000	利益剰余金		
建設仮勘定		5,000	利益準備金		7,000
（無形固定資産）			その他利益剰余金		
特許権		4,000	任意積立金		3,500
（投資その他の資産）			繰越利益剰余金		5,000
投資有価証券		6,000	利益剰余金合計		15,500
長期貸付金	5,000		自己株式		△1,000
貸倒引当金	△200	→ 4,800	株主資本合計		134,500
固定資産合計		86,300	純資産合計		134,500
資産合計		(339,300)	負債・純資産合計		(339,300)

必ず一致！

ひとこと

現時点で押さえてほしい貸借対照表の特徴は以下の３つです。
① 左右に分かれている
② 左側に資産、右側に負債・純資産が表示される
③ 左右の合計金額は必ず一致する

債権者（金融機関や取引先）などから調達した負債（借金などのこと）、株主から調達した純資産をどのように運用したかという運用結果が**資産**になります。まずは、企業が保有している財産というイメージをもっておきましょう。

資産の部は、「流動資産」と「固定資産」に分類されます。

1 流動資産

流動資産とは、現金や預金、さらに企業が比較的短期間に現金化すると想定される諸資産のことをいいます。

板書 **流動資産**

貸借対照表（一部）

資産の部		
流動資産		
① 現金及び預金		25,000
② 受取手形	100,000	
⑦ 貸倒引当金	△5,000	95,000
③ 売掛金	60,000	
⑦ 貸倒引当金	△3,000	57,000
④ 有価証券		15,000
⑤ 商品		50,000
⑥ 短期貸付金	10,000	
⑦ 貸倒引当金	△500	9,500
その他流動資産		1,500
流動資産合計		253,000

①現金及び預金　**企業の保有する**現金**および**預金**の額**
☆現金：硬貨および紙幣、小口現金など
☆預金：普通預金、当座預金など

②受取手形 主たる営業取引（商品販売など）を行ったが、代金が未収の場合に、その未収分（取引先に対する債権）のうち「手形」として受け取った額

> 債権者と債務者の間で、一定の期日に一定の金額を支払うために取りかわされる証券のこと

③売掛金 主たる営業取引（商品販売など）を行ったが、代金が未収の場合に、その未収分（取引先に対する債権）の金額

④有価証券 企業が保有する有価証券（株式、債券など）のうち、売買目的有価証券および決算日の翌日から1年以内に満期の到来する社債その他債券の合計額

> 短期的に売買してもうけを狙う有価証券のこと

⑤商品 物品の仕入および販売を主たる営業取引とする企業（小売業や卸売業が該当）の、期末における未販売の商品の在庫に相当する金額

⑥短期貸付金 企業が、取引先などの他企業に貸し付けている資金のうち、決算日の翌日から1年以内に回収予定のもの

⑦貸倒引当金 売上債権（売掛金、受取手形）、貸付金などの金銭債権について、将来、貸倒れ（倒産などによる回収不能）となる可能性がある場合、貸倒れとなる金額をあらかじめ見積もったうえで、決算時点における費用として処理した際に計上される額

※貸借対照表上に表示される売上債権などは貸倒れの可能性を含んでいる名目上の価値であり、そこから貸倒引当金を控除した額が、実質的な売上債権などの価値となる → 貸倒引当金は、貸借対照表の資産の部に負（価値のマイナス）として表示する

2 固定資産

固定資産とは、企業が長期にわたり保有し、使用する資産等をいい、有形固定資産、無形固定資産、投資その他の資産の３つに分類されます。

❶ 有形固定資産

有形固定資産とは、文字どおり、形のある固定資産のことです。

板書 有形固定資産

貸借対照表（一部）

固定資産		
（有形固定資産）		
① 建物	60,000	
⑤ 減価償却累計額	△27,000	33,000
② 車両運搬具	5,000	
⑤ 減価償却累計額	△1,500	3,500
③ 土地		30,000
④ 建設仮勘定		5,000

①建物　事業活動に使用している建物（社屋、店舗、倉庫など）の取得金額の合計額

②車両運搬具　事業活動に使用している車両などの取得金額の合計額

③土地　事業活動に使用している土地の取得金額の合計額
　　　土地は、時間経過とともに価値が下がるものではないため、減価償却※は行わない

④建設仮勘定　建築中の建物などで未完成のものに対して、手付けなどとして支払った金額
　　※完成と同時に建物などの他の科目に振り替える

⑤減価償却累計額　資産の使用による価値の減少分の累計額

用語 ▶ **減価償却とは？**

固定資産は、企業活動で使用することで収益獲得に貢献します。また、土地以外の固定資産は、使用することや時の経過によって老朽化し、徐々にその価値が減少します。そこで、決算において、土地以外の固定資産の取得価額をその使用する各期間に「費用」として計上し、固定資産の価値を減少させていく必要があります。この手続きを「減価償却」といい、減価償却によって生じる費用を「減価償却費」といいます。

【減価償却費の考え方】

投資費用を一期に計上するのではなく、その効果（収益）が及ぶ将来の各期に反映させる

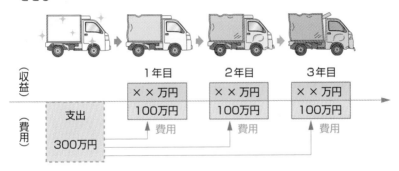

減価償却は、会計（アカウンティング）と財務（ファイナンス）のいずれにもかかわる論点です。試験攻略上は金額計算が重要ですが、現時点では、用語と考え方だけ押さえておきましょう。

❷ 無形固定資産、投資その他の資産

無形固定資産とは、「権利」のような形のない資産のことです。

板書 無形固定資産、投資その他の資産

貸借対照表（一部）

①	（無形固定資産）		
	特許権		4,000
②	（投資その他の資産）		
	投資有価証券		6,000
	長期貸付金	5,000	
	貸倒引当金	△200	4,800
	固定資産合計		86,300
	資産合計		339,300

①無形固定資産　具体的な形態をもたない資産
☆特許権や実用新案権などの法律上の権利など

②投資その他の資産　投資有価証券、長期貸付金などの投資資産のこと

ひとこと

　資産には、流動資産、固定資産以外に繰延資産もありますが、特殊な資産であるため、ここでは説明を省略します。

4 貸借対照表③ 負債の部、純資産の部 右側にあるもの！

1 負債の部

　企業の資金調達のうち、銀行や取引先などの債権者（簡単にいうと、お金を貸している人）から調達した資金（資本）が**負債**です。つまり、資産（総資産）から純資産を差し引いた残りが負債となります。

　負債は、原則として債権者に返済しなければならないことから、他人資本ともいいます。まずは企業の支払義務というイメージをもっておきましょう。

　負債の部は、「流動負債」と「固定負債」に分類されます。

板書 負債の部 ⑦

貸借対照表（一部）

負債の部	
① 流動負債	
支払手形	30,000
買掛金	35,000
短期借入金	18,000
その他流動負債	6,800
流動負債合計	89,800
② 固定負債	
社債	75,000
長期借入金	40,000
固定負債合計	115,000
負債合計	204,800

① 流 動 負 債　企業が比較的短期間に現金で支払うと想定される諸負債のこと

　☆支払手形：主たる営業取引（商品仕入）を行ったが、代金が未払いの場合に、その未払分（仕入先に対する債務）のうち「手形」として振り出した額

☆買掛金：主たる営業取引（商品仕入）を行ったが、代金
が未払いの場合に、その未払分（仕入先に対す
る債務）の金額
☆短期借入金：金融機関等からの借入金のうち、決算日
の翌日から1年以内に返済義務のあるも
のの金額

②固定負債 　返済義務が1年を超える（1年以内に返済しない）
諸負債のこと
☆社債：会社が長期資金を調達するために不特定多数
の個人や法人に対して発行する有価証券など
☆長期借入金：金融機関などからの借入金のうち、決算
日の翌日から1年を超えた日に返済義務
のあるものの金額

---

2 純資産の部

　企業の資金調達のうち、主として株主から調達した資金（資本）が**純資産**
です。つまり、資産（総資産）から負債を差し引いた残りが純資産となります。
返済する必要がないことから、自己資本ともいいます。

純資産は資産と負債の差額で把握される単なる差額概念であるた
め、物理的に存在するものではありません。このように、実在性の
ないものを把握できるということが、会計のひとつの特徴であり、有
用な点になります。

板書 純資産の部

貸借対照表（一部）

純資産の部	
① 株主資本	
② 資本金	100,000
③ 資本剰余金	
資本準備金	15,000
その他資本剰余金	5,000
資本剰余金合計	20,000
④ 利益剰余金	
利益準備金	7,000
その他利益剰余金	
任意積立金	3,500
繰越利益剰余金	5,000
利益剰余金合計	15,500
⑤ 自己株式	△1,000
株主資本合計	134,500
純資産合計	134,500
負債・純資産合計	339,300

①株主資本　純資産のうち、株主からの出資額（資本金など）と、その出資額を元手に事業を行って得た「もうけ」である利益の蓄積（繰越利益剰余金など）で構成される

②資本金　会社財産を確保するための基準となる一定額、つまり、「事業の元手」のこと

③資本剰余金　株主などからの出資額、おおまかにいえば資本金以外の「事業の元手」

④利益剰余金　企業活動によって生じた純資産の額のこと

⑤自己株式　自社が発行した株式を市場などから取得したもの

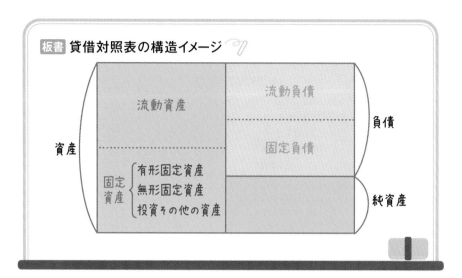

板書 貸借対照表の構造イメージ

	流動資産	流動負債	負債
		固定負債	
資産	固定資産 {有形固定資産 無形固定資産 投資その他の資産		純資産

ひとこと

　学習の手順として、まずは上記構造を覚えることが重要です。次に細目（現金及び預金、建物等）に少しずつ慣れるようにしましょう。

　最終的には、各細目がどのグループに属するかを覚える必要があります（例：現金及び預金は流動資産）。

? 練習問題にチャレンジ！

次の貸借対照表の空欄①②③④に入る適切な用語および数字を答えよ。

<table>
<tr><td colspan="6" align="center">貸 借 対 照 表</td></tr>
<tr><td colspan="3" align="center">××年3月31日</td><td colspan="3" align="right">（単位：千円）</td></tr>
<tr><td>流 動 資 産</td><td></td><td>(16,000)</td><td>③ 　 負 　 債</td><td></td><td>(12,000)</td></tr>
<tr><td>　現金及び預金</td><td></td><td>2,600</td><td>　支 払 手 形</td><td></td><td>5,400</td></tr>
<tr><td>　受 取 手 形</td><td>1,200</td><td></td><td>　買 　 掛 　 金</td><td></td><td>2,600</td></tr>
<tr><td>　　貸倒引当金</td><td>① </td><td>1,100</td><td>　短期借入金</td><td></td><td>4,000</td></tr>
<tr><td>　売 　 掛 　 金</td><td>4,800</td><td></td><td>④ 　 負 　 債</td><td></td><td>(3,500)</td></tr>
<tr><td>　　貸倒引当金</td><td>△ 200</td><td>4,600</td><td>　社 　 　 　 債</td><td></td><td>2,000</td></tr>
<tr><td>　有 価 証 券</td><td></td><td>1,400</td><td>　長期借入金</td><td></td><td>1,500</td></tr>
<tr><td>　商 　 　 　 品</td><td></td><td>6,300</td><td>負 債 合 計</td><td></td><td>15,500</td></tr>
<tr><td>固 定 資 産</td><td></td><td>(13,000)</td><td>資 　 本 　 金</td><td></td><td>5,000</td></tr>
<tr><td>　有形固定資産</td><td></td><td>(10,700)</td><td>資 本 剰 余 金</td><td></td><td>(800)</td></tr>
<tr><td>　　建 　 　 物</td><td>8,000</td><td></td><td>　資 本 準 備 金</td><td></td><td>800</td></tr>
<tr><td>　　② </td><td>△ 5,400</td><td>2,600</td><td>利 益 剰 余 金</td><td></td><td>(7,800)</td></tr>
<tr><td>　　土 　 　 地</td><td></td><td>4,800</td><td>　利 益 準 備 金</td><td></td><td>550</td></tr>
<tr><td>　　建設仮勘定</td><td></td><td>3,300</td><td>　その他利益剰余金</td><td></td><td>(7,250)</td></tr>
<tr><td>　無形固定資産</td><td></td><td>(400)</td><td>　　任意積立金</td><td></td><td>6,050</td></tr>
<tr><td>　　特 　 許 　 権</td><td></td><td>400</td><td>　　繰越利益剰余金</td><td></td><td>1,200</td></tr>
<tr><td>　投資その他の資産</td><td></td><td>(1,900)</td><td>自 己 株 式</td><td></td><td>△ 100</td></tr>
<tr><td>　投資有価証券</td><td></td><td>1,900</td><td>純 資 産 合 計</td><td></td><td>13,500</td></tr>
<tr><td>資 産 合 計</td><td></td><td>29,000</td><td>負債・純資産合計</td><td></td><td>29,000</td></tr>
</table>

① △**100**
② **減価償却累計額**　③ **流動**　④ **固定**

5 損益計算書① 損益計算書の構造 基本形を理解！

1 損益計算書は何を表しているの？

　損益計算書（P/L）は、一定期間（通常は1事業年度）における、企業の経営成績（収益、費用、利益・損失）を表す財務諸表です。Profit（利益）またはLoss（損失）を表すことから、P/Lという略称が用いられます。

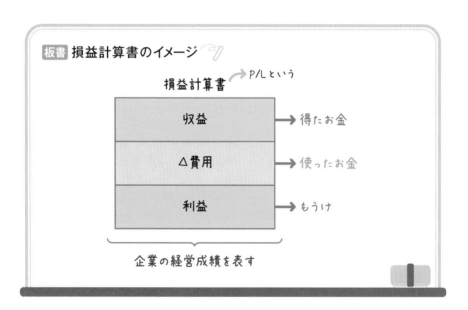

板書 損益計算書のイメージ

損益計算書 → P/Lという

収益	→ 得たお金
△費用	→ 使ったお金
利益	→ もうけ

企業の経営成績を表す

ひとこと

　損益計算書の最初のポイントは、構造と各項目を覚えることです。
　貸借対照表と同様に、いきなりすべてを暗記しようとしないで、勉強を進めるうちに徐々に覚えるようにしましょう。

2 損益計算書の構造

損益計算書の具体例は次のようになります。以下、この具体例をもとに各項目について説明をしていきます。

損 益 計 算 書
x1年4月1日～x2年3月31日 （単位：千円）

売上高			Ⓐ	400,000	
売上原価					
期首商品棚卸高	①	70,000			
当期商品仕入高	②	260,000			
合　　計		330,000			
期末商品棚卸高	③	50,000	Ⓑ	280,000	← ①＋②－③
売上総利益			Ⓒ	120,000	← Ⓐ－Ⓑ
販売費及び一般管理費					
人件費		30,000			
減価償却費		3,200			
その他販管費		66,800	Ⓓ	100,000	
営業利益			Ⓔ	20,000	← Ⓒ－Ⓓ
営業外収益					
受取利息・配当金		4,000	Ⓕ	4,000	
営業外費用					
支払利息		10,000	Ⓖ	10,000	
経常利益	Ⓔ＋Ⓕ－Ⓖ →		Ⓗ	14,000	
特別利益			Ⓘ	1,000	
特別損失			Ⓙ	10,000	
税引前当期純利益	Ⓗ＋Ⓘ－Ⓙ →		Ⓚ	5,000	
法人税、住民税及び事業税			Ⓛ	2,000	
当期純利益	Ⓚ－Ⓛ →		Ⓜ	3,000	

ひとこと

損益計算書に表示される収益・費用・利益は貸借対照表の純資産と同様に、物理的に存在するものではありません。実在性のない企業のもうけを把握できるようになるということが、会計の特徴です。

　以下、損益計算書の段階ごとに各項目を見ていきます。基本的には、利益は売上高から費用を差し引くことで求められます。差し引く費用の性格に応じて、利益は、❶売上総利益、❷営業利益、❸経常利益、❹税引前当期純利益、❺当期純利益の５つに分類できます。

> **ひとこと**
>
> 　損益計算書は収益から費用を差し引いて利益を計算しますが、収益・費用を７種類に分け、段階的に差引計算を行うことで５種類の利益を計算します。これにより、さまざまな性質の利益（たとえば、本業の利益）を計算することができ、この特徴がSection 2の経営分析につながっていきます。

❶ 売上総利益まで

売上総利益までの内容を見てみましょう。

板書 売上総利益まで

損益計算書（一部）

① 売上高		400,000
② 売上原価		
期首商品棚卸高	70,000	
当期商品仕入高	260,000	
合　　計	330,000	
期末商品棚卸高	50,000	280,000
③ 売上総利益		120,000
⋮		⋮

①売　上　高	企業の本来の営業活動の成果であり、商品（製品）の販売額やサービスの提供額
②売上原価	売上高を獲得するために企業が購入した商品（製品）などの原価

③売上総利益	売上高から売上原価を差し引いた利益 ※粗利益ともいう

❷　営業利益まで

営業利益までの内容を見てみましょう。

板書 営業利益まで

損益計算書（一部）

① 販売費及び一般管理費		
人件費	30,000	
減価償却費	3,200	
その他販管費	66,800	100,000
② 営業利益		20,000
⋮		⋮

①販売費及び一般管理費（販管費）

　　　　　本来の営業活動にかかわる販売業務や管理業務に関して発生した費用

販管費には次のような項目がある

給料	従業員の給与
旅費交通費	出張旅費など
広告宣伝費	広告活動の費用
支払家賃	事務所などの家賃
減価償却費	事務所など営業用有形固定資産の償却費

②営業利益　売上総利益から販売費及び一般管理費を差し引いた利益
※企業の営業活動の成果，つまり本業から得られる利益

❸ 経常利益まで

経常利益までの内容を見てみましょう。

板書 経常利益まで 🎵

損益計算書(一部)

①営業外収益			
受取利息・配当金		4,000	4,000
②営業外費用			
支払利息		10,000	10,000
③ 経常利益			14,000
⋮			⋮

①営業外収益
企業本来の営業活動以外の活動(主に財務活動)から生じる収益(利益)
☆受取利息：預金・貸付金の利息
☆受取配当金：他社株式の配当金

②営業外費用
企業本来の営業活動以外の活動(主に財務活動)から生じる費用
☆支払利息：借入金の利息

資金の借入れや返済、株主からの資金調達や配当の支払のこと

③経常利益
営業利益に営業外収益を加え、営業外費用を差し引いた利益
※経常的な(通常の)経営活動に基づく利益

❹ 税引前当期純利益まで

税引前当期純利益までの内容を見てみましょう。

板書 **税引前当期純利益まで** 7

損益計算書(一部)

① 特別利益	1,000
② 特別損失	10,000
③ 税引前当期純利益	5,000
⋮	⋮

①特別利益 経常的ではなく、臨時・例外的に発生した<u>収益</u>
たとえば 固定資産売却益:固定資産を売って得た利益

②特別損失 経常的ではなく、臨時・例外的に発生した<u>損失</u>
たとえば 固定資産売却損:固定資産を売ったことによる損失
災害損失:災害による損失

③税引前当期純利益 経常利益に特別利益を加え、特別損失を差し引いた利益
※法人税、住民税及び事業税を支払う前段階の利益

❺ 当期純利益まで

最後に、当期純利益までの内容を見てみましょう。

板書 当期純利益まで

損益計算書（一部）

税引前当期純利益	5,000
① 法人税、住民税及び事業税	2,000
② 当期純利益	3,000

①法人税、住民税及び事業税

企業のもうけ（課税所得）に対して課税される税金

②当期純利益

税引前当期純利益から法人税、住民税及び事業税を差し引いた利益

つまり 最終的なもうけ！

損益計算書の各項目は目に見えるものではないため、最初はイメージしづらいかもしれませんが、財務会計、管理会計、ファイナンスのいずれの領域でも登場しますので、その都度、見直して慣れるようにしましょう！

? 練習問題にチャレンジ！

空欄①～③に入る適切な用語および数字を答えよ。

損益計算書
（自×1年4月1日 至×2年3月31日）

（単位：千円）

Ⅰ 売 上 高		3,300
Ⅱ 売 上 原 価		2,600
売 上 総 利 益		700
Ⅲ 販売費及び一般管理費		400
（ ① ）利益		300
Ⅳ 営 業 外 収 益		
受 取 利 息	90	
その他の営業外収益	30	120
Ⅴ 営 業 外 費 用		
支 払 利 息	130	
その他の営業外費用	30	160
経 常 利 益		（ ③ ）
Ⅵ 特 別 利 益		
固 定 資 産 売 却 益	1,740	1,740
Ⅶ 特 別 損 失		
火 災 損 失	500	500
税引前当期純利益		1,500
法人税・住民税及び事業税		600
（ ② ）利益		900

① **営業**、② **当期純**
③ **260** 経常利益＝営業利益＋営業外収益－営業外費用
    ＝300＋120－160
    ＝260

経営分析

　経営分析は簡単にいうと、特別な比率計算によって、企業の状態をより詳しく理解する技法です。中小企業診断士試験攻略上、最重要といってよい論点であるため、しっかり計算練習をしましょう。

この企業の
健康状態は…

1 経営分析の基本 財務諸表の数値を使って企業の状況を分析すること！

　ここでは、経営分析を行うにあたって前提となる事項について学習します。

経営分析は財務分析、財務比率分析、財務諸表分析とよばれることもありますが、本書では、明示されている診断士試験の試験内容に従って経営分析とよびます。

1 経営分析とはどういうもの？

　経営分析とは、財務諸表の数値を用いて計算・分析し、企業の収益性等の状況を把握する手法をいいます。経営分析の手法を用いることにより、企業の状況をより深く理解することができるようになります。

　経営分析は、その目的によって、次のように分類されます。

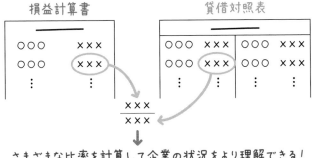

板書 **分析目的**

◆**収益性分析**：企業のもうける力を判定する …… **2** 、 **3** で説明

◆**効率性分析**：資本を使って売上を獲得する力を判定する …… **4** で説明

◆**安全性分析**：企業の支払能力などを判定する …… **5** で説明

◆**生産性分析**

など

損益計算書 貸借対照表

さまざまな比率を計算して企業の状況をより理解できる！

試験対策としては収益性、効率性、安全性が特に重要で、1次試験、2次試験ともに毎回のように出題されています。

　経営分析の基本は比較です。そこで、試験対策上、習得すべき内容は、各指標の①**計算方法**と、②**比較したときの優劣判断**（計算数値の高いほうがいい指標か、低いほうがいい指標か）になります。

2 経営分析において使用される資本項目

経営分析において使用される資本項目には、次のものがあります。

| 板書 | 資本項目 |

①総資本 経営活動を行うために調達したすべての資本のこと

$$総資本＝純資産＋負債$$
$$（＝総資産）$$

②経営資本 経営活動のために稼働している資本のこと
☆以下の計算式により貸借対照表の「資産」の数値から導く

$$経営資本＝流動資産＋固定資産－建設仮勘定－投資その他の資産$$

③自己資本 貸借対照表上における純資産の部から新株予約権を
差し引いた額のこと

3 経営分析において使用される損益項目

経営分析において使用される損益項目には、次のものがあります。

| 板書 | 損益項目 |

①事業利益 営業活動による成果に財務活動による成果を加えた利
益のこと
☆以下の計算式によって損益計算書から導く

$$事業利益＝営業利益＋受取利息・配当金$$

②金融費用 他人資本による資金調達に伴って発生するコスト
☆以下の計算式によって損益計算書から導く

$$金融費用＝支払利息＋社債利息$$

4 経営分析に使用する貸借対照表と損益計算書

　このあと、具体的な経営指標を説明していきます。各指標の計算例の数値は、79ページの貸借対照表と91ページの損益計算書の数値を使用しますので、学習の際に確認してください。

ひとこと

　経営分析は、制度（法）に基づいて作成される財務諸表を活用しますが、分析そのものは制度（法）により行われるものではないため、その手法や表現が書籍などによって異なる場合があります。本試験では、一般的な呼称が使われるため、本書の記載をそのまま覚えておけばよいでしょう。経営分析は、1次・2次試験ともに最頻出の領域となります。数値の計算のみならず、良否判断も求められますので、指標がもつ意味合いも含めて覚えておきましょう。

2　収益性分析①　資本利益率 <u>投資に対して利益はどのくらい?</u>

　<u>収益性</u>とは、企業の利益獲得能力のことをいいます。企業の成長発展（ゴーイングコンサーン）のためには、利益の獲得は不可欠です。収益性分析とは、企業の収益獲得能力（もうける力）を判定するための分析手法であり、経営分析の基盤ともいえるものです。

　ここでは、収益性分析の代表的な指標を学習します。

1　収益性分析の意義と体系

　<u>収益性分析</u>とは、企業の収益獲得能力（もうける力）の分析のことをいいます。

　収益獲得能力は、投下した資本に対してどれほどの利益を獲得しているかを表すものであり、いくつかの公式を利用し財務諸表から導きます。利益を絶対額ではなく比率として見ることで、企業規模が異なっていても比較が可能になります。

　収益性分析の出発点は資本利益率であり、それは売上高利益率と資本回転率に分解されます。

板書 収益性分析の体系

収益性分析 ── 資本利益率 ─┬─ 売上高利益率
　　　　　　　　　　　　　　└─ 資本回転率

資本利益率　＝　売上高利益率　×　資本回転率

$$\frac{利益}{資本} = \frac{利益}{売上高} \times \frac{売上高}{資本}$$

☆「もうける力」を見る!

---

2 資本利益率（ROI：Return On Investment）

　資本利益率は、投下した資本（investment）に対してどれだけの利益（return）を獲得したか（資本から利益を獲得する能力）を表しており、企業の総合的な収益性を表す指標です。

　資本利益率は、高いほうが望ましく、この指標を高めるためには、分母の資本（総資本、経営資本）を減らすか、または分子の利益（経常利益、営業利益、事業利益）を増やすことになります。

　資本利益率には、資本概念、利益概念のとらえ方によっていくつかの指標があり、代表的な指標を以下に示します。

第2章　財務・会計

❶ 総資本経常利益率

　企業が総資本（総資産）を使って経営活動を行った結果、どれだけの経常利益を上げたかを示す指標です。

板書 総資本経常利益率

経常利益＝損益計算書における経常利益

$$総資本経常利益率（\%）=\frac{経常利益}{総資本}\times100$$

総資本＝貸借対照表上における負債の部と純資産の部の合計額

※分子を営業利益にすれば、総資本営業利益率となる

計算例

$$総資本経常利益率（\%）=\frac{14,000}{339,300}\times100=4.12\cdots≒4.1（\%）$$

☆高いほうが望ましい

❷ 自己資本利益率 (ROE : Return On Equity)

自己資本当期純利益率または株主資本利益率ともいいます。

分母を自己資本にすることで、株主が出資した資本で企業がどれだけの利益を獲得したかを示す指標です。

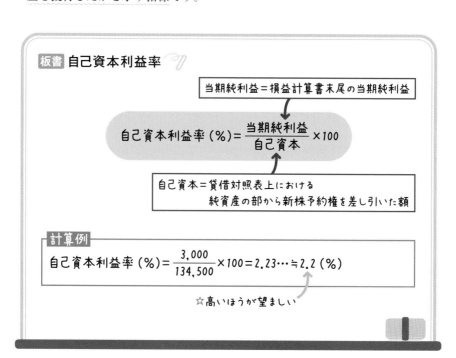

【板書】自己資本利益率

当期純利益＝損益計算書末尾の当期純利益

$$自己資本利益率(\%)=\frac{当期純利益}{自己資本}\times100$$

自己資本＝貸借対照表上における
　　　　　純資産の部から新株予約権を差し引いた額

┌計算例
│ $自己資本利益率(\%)=\dfrac{3,000}{134,500}\times100=2.23\cdots≒2.2(\%)$

☆高いほうが望ましい

自己資本利益率（ROE）は、1次試験で頻出の指標です！

3 収益性分析② 売上高利益率 売上に対して利益はどのくらい？

　企業の総合的な収益性を表す資本利益率は、売上高利益率と資本回転率に分解できます。つまり、売上高利益率は資本利益率の構成要素のひとつであり、売上高利益率を向上させれば資本利益率も向上します（逆に、売上高利益率が悪化すれば、資本利益率も悪化します）。

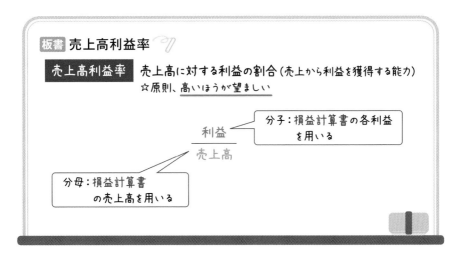

板書 売上高利益率

売上高利益率 売上高に対する利益の割合（売上から利益を獲得する能力）
☆原則、高いほうが望ましい

$$\frac{利益}{売上高}$$

分子：損益計算書の各利益を用いる

分母：損益計算書の売上高を用いる

「売上からどれだけ利益を残せるか」を表す

売上高利益率の代表的な指標は、以下のとおりです。

❶ 売上高総利益率

売上高に対する売上総利益の割合です。**粗利益率**ともいいます。企業が提供している商品・製品、サービスそのものの収益性を表す指標です。

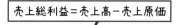

板書 **売上高総利益率**

売上総利益＝売上高ー売上原価

$$売上高総利益率（\%）＝\frac{売上総利益}{売上高}×100$$

※売上原価を減らせば売上総利益が増えることになり、売上高総利益率が向上する

計算例

$$売上高総利益率（\%）＝\frac{120,000}{400,000}×100＝30（\%）$$

☆高いほうが望ましい

売上高総利益率は、2次試験で頻出の指標です！

❷ 売上高営業利益率

売上高に対する営業利益の割合です。企業の本業による収益性を表す指標です。

板書 売上高営業利益率

営業利益＝売上高－売上原価
　　　　　　－販売費及び一般管理費

$$売上高営業利益率（\%）＝\frac{営業利益}{売上高}×100$$

※販売費及び一般管理費（および売上原価）を減らせば営業利益が増えることになり、売上高営業利益率が向上する

計算例

$$売上高営業利益率（\%）＝\frac{20,000}{400,000}×100＝5（\%）$$

☆高いほうが望ましい

売上高営業利益率は、1次・2次ともに頻出の指標です！
本業の収益性を表すため、実務上もたいへん重要視されています。

❸ 売上高経常利益率

売上高に対する経常利益の割合です。財務活動も含めた企業の通常の経営活動による収益性を表す指標です。

板書 売上高経常利益率 🗒️

$$経常利益＝売上高－売上原価－販売費及び一般管理費＋(営業外収益－営業外費用)$$

$$売上高経常利益率（\%）＝\frac{経常利益}{売上高}×100$$

※営業外収益を増やすか営業外費用（および売上原価、販売費及び一般管理費）を減らせば経常利益が増えることになり、売上高経常利益率が向上する

計算例

$$売上高経常利益率（\%）＝\frac{14,000}{400,000}×100＝3.5（\%）$$

☆高いほうが望ましい

売上高営業利益率との違いのポイントは、営業外費用（特に支払利息）が加味されている点です。2次試験攻略上、大事な視点になります。

次の記述の正誤を判断せよ。

次に示す財務諸表によると、総資本経常利益率は悪化し、売上高営業利益率も悪化している。なお、比率の計算における総資本は年度末の金額を利用する（単位：千円）。

<貸借対照表>

	X1年度末	X2年度末		X1年度末	X2年度末
流動資産	35,000	29,000	流動負債	16,000	15,000
固定資産	95,000	91,000	固定負債	28,000	20,000
			純資産	86,000	85,000
資産合計	130,000	120,000	負債・純資産合計	130,000	120,000

<損益計算書>

	X1年度	X2年度
売上高	180,000	170,000
営業費用	150,000	152,000
営業利益	30,000	18,000
支払利息	1,000	800
経常利益	29,000	17,200
固定資産売却損	1,000	200
税引前当期純利益	28,000	17,000
法人税等	10,000	4,000
当期純利益	18,000	13,000

〇 総資本経常利益率、売上高営業利益率はいずれも高いほうがよい。各経営指標の計算式は、次のとおりである。

総資本経常利益率：経常利益÷総資本×100（％）
売上高営業利益率：営業利益÷売上高×100（％）

各経営指標を計算すると次のとおりである。

	X1年度	X2年度	判断
総資本経常利益率	29,000÷130,000×100 ≒22.31%	17,200÷120,000×100 ≒14.33%	悪化
売上高営業利益率	30,000÷180,000×100 ≒16.67%	18,000÷170,000×100 ≒10.59%	悪化

（小数点第3位四捨五入）

　効率性分析（活動性分析ともいいます）とは、資本（資産）の使用効率の分析であり、資本回転率をはじめとする各種の回転率で分析します。

　企業の総合的な収益性を表す資本利益率は、売上高利益率と資本回転率に分解できます。したがって、資本回転率は資本利益率の構成要素のひとつであり、資本回転率を向上させれば資本利益率を向上できます（逆に、資本回転率が悪化すれば、資本利益率も悪化します）。

　資本回転率は、資本の使用効率性（資本から売上を獲得する能力）を示す指標であり、**少ない資本で多くの売上高が獲得されていれば回転率は高くなり、資本の使用効率性が高いと判断できます。**

1 効率性分析の意義と体系

　効率性の分析は、事業に使用している資産（貸借対照表）の数値と、その資産を使って獲得した売上高などの成果（損益計算書）の数値を使った回転率で表すことが一般的です。

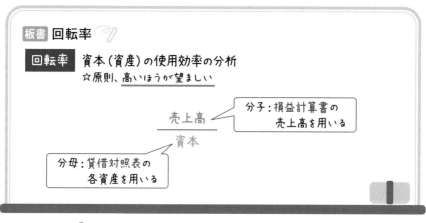

板書 **回転率**

回転率 資本（資産）の使用効率の分析
　☆原則、高いほうが望ましい

$$\frac{売上高}{資本}$$

分子：損益計算書の
　売上高を用いる

分母：貸借対照表の
　各資産を用いる

「資産からいくら売上を生み出せるか」を表す

回転率の分析は、まず総資本回転率の分析から出発し、総資本回転率が低いときには、個別資産の回転率についても検討を加え、総資本回転率が低い要因が主にどこにあるのかを明らかにします。

2 効率性分析（回転率）

主な回転率の指標は以下のとおりです。なお、単位は「回」になります（「×100」は使いません）。

 効率性分析の単位は、主に「％」を用いる収益性分析や安全性分析と異なり、「回」になることに注意しましょう。

❶ 総資本回転率（総資産回転率）

総資本（総資産）をどの程度効率的に使って売上高を獲得しているかを表す指標です。

板書 総資本回転率

$$総資本回転率（回）＝\frac{売上高}{総資本}$$

計算例

$$総資本回転率（回）＝\frac{400,000}{339,300}＝1.17\cdots≒1.2（回）$$

☆高いほうが望ましい

 この指標が「1回」であれば、総資本をちょうど1回使って、同額の売上高を獲得した、という意味になります。
1次試験に頻出の指標です。

❷ 売上債権回転率

売上債権の効率性を測る指標ですが、売上債権の回収状況も表します。

板書 売上債権回転率

$$売上債権回転率（回）＝\frac{売上高}{売上債権}$$

※売上債権は、通常「受取手形＋売掛金」を使う
※貸倒引当金がある場合、貸倒引当金を控除した後の
　数値を使う

計算例

$$売上債権回転率（回）＝\frac{400,000}{95,000＋57,000}＝2.63\cdots≒2.6（回）$$

☆高いほうが望ましい

この指標が高ければ、売上債権の回収状況が良好であることを意味するため、資金繰りの状況を測ることもできます。

❸ 棚卸資産回転率

棚卸資産（在庫資産の総称）の効率性を測る指標です。棚卸資産を細分類して、分母に製品／商品（製造業の場合は製品、流通業の場合は商品）、仕掛品（製造途中の製品）、原材料を用いることもできます。

板書 棚卸資産回転率

$$棚卸資産回転率（回）＝\frac{売上高}{棚卸資産}$$

計算例

$$棚卸資産回転率（回）＝\frac{400,000}{50,000}＝8（回）$$

☆高いほうが望ましい

棚卸資産回転率は、棚卸資産の消化（販売）速度を示しており、この指標が高いほど棚卸資産の消化速度が速いといえ、資金繰りの状況を測ることもできます。また、棚卸資産は在庫ですから、在庫管理の適切性も判定できます。
2次試験で頻出の指標です。

❹ 有形固定資産回転率

機械設備などの有形固定資産の効率性を測る指標です。この指標が高ければ、機械設備等の稼働率が高く、有効に使われていることを意味します。

板書 有形固定資産回転率

$$有形固定資産回転率（回）= \frac{売上高}{有形固定資産}$$

※有形固定資産の中に建設仮勘定があるときは、これを含まずに計算するのが一般的
※有形固定資産の数値は、減価償却後のものを用いる

計算例

$$有形固定資産回転率（回）= \frac{400,000}{33,000 + 3,500 + 30,000}$$
$$= 6.01 \cdots ≒ 6.0（回）$$

☆高いほうがよい

有形固定資産に限らず、分母に固定資産を用いた固定資産回転率という指標もあります。
2次試験で頻出の指標です。

? 過去問にチャレンジ！ ━━━━━━━━━━━━ 平成27年度第11問設問1改題

次の記述の正誤を判断せよ。

次の貸借対照表と売上高をもとに、総資産回転率を計算すると、1.47回となる。

貸借対照表（平成✕5年度）　　　（単位：千円）

資産の部		負債および純資産の部	
Ⅰ　流動資産	80,000	Ⅰ　流動負債	100,000
現金・預金	4,000	支払手形・買掛金	30,000
受取手形・売掛金	32,000	短期借入金	30,000
棚卸資産	18,000	その他	40,000
その他	26,000	Ⅱ　固定負債	68,000
Ⅱ　固定資産	220,000	Ⅲ　純資産	132,000
資産合計	300,000	負債・純資産合計	300,000

売上高：440,000

○ 総資産回転率は、総資産（総資本）をどの程度効率的に使って売上高を獲得しているかを表す指標である。

計算式：総資産回転率 $= \dfrac{売上高}{総資産} = \dfrac{440,000}{300,000}$

$= 1.466\cdots \fallingdotseq 1.47$（回）

5 安全性（流動性）分析　支払能力面でのリスクはどのくらい？

安全性分析とは、企業の支払能力や財務面での安全性を分析するための手法のことをいいます。安全性が低い企業は、支払能力の面で不安があり、倒産するリスクが高いことを意味します。

1 安全性分析の意義と体系

安全性は、基本的には貸借対照表の資産と負債・純資本のバランスによって分析します。分析目的によって、短期安全性分析、長期安全性分析、資本調達構造分析に分類できます。

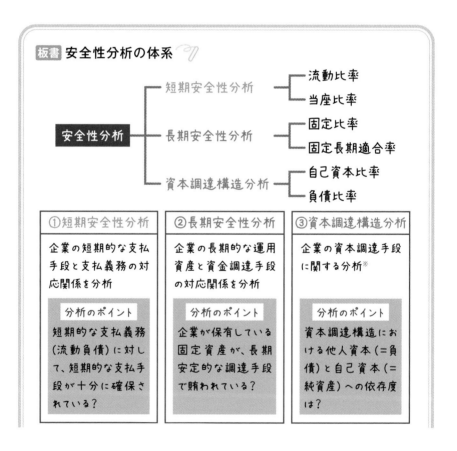

板書 **安全性分析の体系**

安全性分析
- 短期安全性分析
  - 流動比率
  - 当座比率
- 長期安全性分析
  - 固定比率
  - 固定長期適合率
- 資本調達構造分析
  - 自己資本比率
  - 負債比率

①短期安全性分析	②長期安全性分析	③資本調達構造分析
企業の短期的な支払手段と支払義務の対応関係を分析	企業の長期的な運用資産と資金調達手段の対応関係を分析	企業の資本調達手段に関する分析※
分析のポイント　短期的な支払義務（流動負債）に対して、短期的な支払手段が十分に確保されている？	**分析のポイント**　企業が保有している固定資産が、長期安定的な調達手段で賄われている？	**分析のポイント**　資本調達構造における他人資本（＝負債）と自己資本（＝純資産）への依存度は？

※企業の資本調達手段
　①他人資本（負債）：銀行などの債権者から調達した資金 → 返済が必要
　②自己資本（純資産）：株主から調達した資金 → 原則返済不要
※両者を比較すると、自己資本のほうがより安全な資本調達方法であるといえる

倒産しない
よね…

2 短期安全性

短期安全性分析には、以下の指標が使われます。

❶ 流動比率

流動比率は、短期的な支払義務、つまり1年以内に支払義務がある流動負債に対して、短期的な支払手段、つまり1年以内に現金化できる流動資産がどの程度確保されているかを表す指標です。

板書 **流動比率**

$$流動比率（\%）= \frac{流動資産}{流動負債} \times 100$$

計算例

$$流動比率（\%）= \frac{253,000}{89,800} \times 100 = 281.73\cdots ≒ 281.7（\%）$$

☆少なくとも100％以上必要

流動比率は、理想的には、200％以上が望ましいですが、**少なくとも100％以上あることが必要**です。流動比率が100％以上ということは、流動負債以上の流動資産が確保されているということであり、原則として、1年以内の支払能力は確保されていることを意味します。

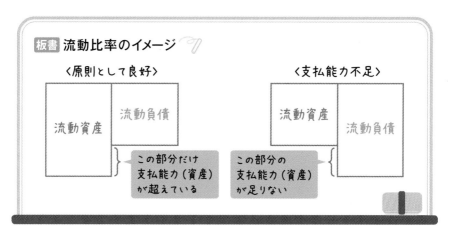

❷　当座比率

当座比率は、流動比率の分子の流動資産を、より回収可能性の高い当座資産（流動資産のうち、特に早期に換金できる項目）に置き換えた指標であり、企業の支払能力をより厳格に評価するための指標です。この当座比率は**100％以上であることが望まれます**。

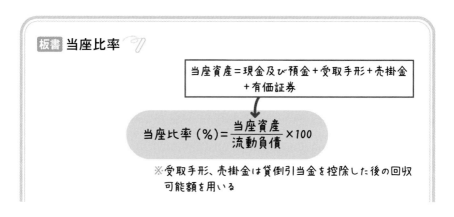

計算例

$$当座比率(\%) = \frac{25,000 + 95,000 + 57,000 + 15,000}{89,800} \times 100$$

$$= 213.80 \cdots \fallingdotseq 213.8 (\%)$$

☆100%以上が望ましい

当座比率と流動比率がかけ離れている場合（当座比率は悪いが、流動比率は良い場合）、棚卸資産（在庫）の過剰が原因と考えられ、将来の資金繰りを悪化させることが考えられます。

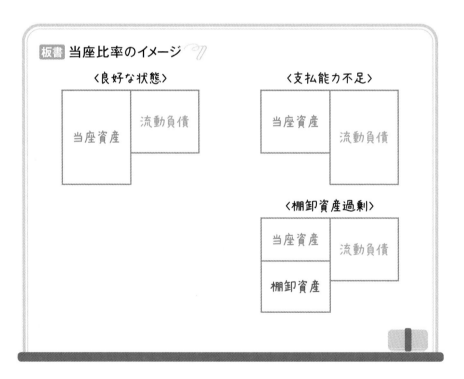

板書 当座比率のイメージ

〈良好な状態〉

当座資産／流動負債

〈支払能力不足〉

当座資産／流動負債

〈棚卸資産過剰〉

当座資産／流動負債／棚卸資産

？過去問にチャレンジ！

次の記述の正誤を判断せよ。

次の貸借対照表によると、流動比率は悪化している。

貸借対照表 （単位：千円）

資産の部			負債・純資産の部		
	20X1年	20X2年		20X1年	20X2年
現金預金	30,000	20,000	買掛金	30,000	50,000
売掛金	20,000	55,000	未払費用	9,000	17,000
貸倒引当金	△1,000	△3,000	長期借入金	—	100,000
商品	40,000	50,000	資本金	100,000	100,000
建物・備品	100,000	225,000	利益剰余金	20,000	40,000
減価償却累計額	△30,000	△40,000			
	159,000	307,000		159,000	307,000

○ 流動比率の計算式　流動資産÷流動負債×100（％）にあてはめると、20X1年は89,000÷39,000×100（％）＝228.2％、20X2年は122,000÷67,000×100（％）＝182.1％となるため、流動比率は悪化している（小数点以下第2位を四捨五入）。

3 長期安全性

長期安全性分析には、以下の指標が使われます。

❶ 固定比率

固定比率は、1年超の期間運用が行われる（すなわち1年以内は現金化されない）固定資産が、返済義務のない自己資本によってどの程度カバーされているかを示す指標です。

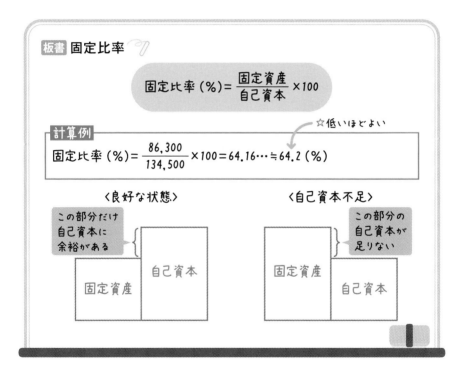

板書 固定比率

$$固定比率（\%）＝\frac{固定資産}{自己資本}×100$$

計算例

☆低いほどよい

$$固定比率（\%）＝\frac{86,300}{134,500}×100＝64.16\cdots≒64.2（\%）$$

〈良好な状態〉

この部分だけ自己資本に余裕がある

自己資本

固定資産

〈自己資本不足〉

この部分の自己資本が足りない

固定資産

自己資本

固定比率は、低いほど資金面で安定的な設備投資がなされていることを意味します。

❷ 固定長期適合率

固定長期適合率は、1年超の期間運用が行われる固定資産が、長期資本（自己資本と固定負債）によってどの程度カバーされているのかを示す指標です。固定比率は自己資本のみで固定資産がカバーされているかを示しますが、理想的ではあるものの、現実には難しい企業が多いといえます。固定長期適合率は自己資本に固定負債を加えた水準で固定資産のカバー率を示す指標です（住宅を自己資金と長期のローンで購入するイメージです）。

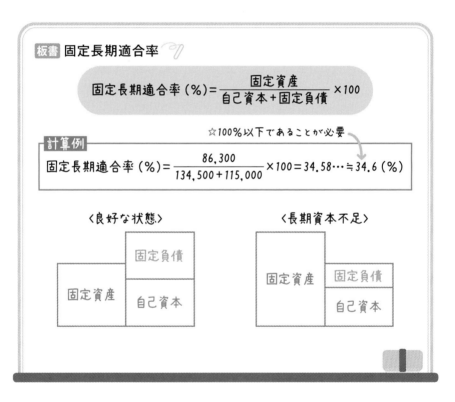

板書 固定長期適合率

$$固定長期適合率（\%）= \frac{固定資産}{自己資本＋固定負債} \times 100$$

計算例

☆100%以下であることが必要

$$固定長期適合率（\%）= \frac{86,300}{134,500＋115,000} \times 100 = 34.58\cdots ≒ 34.6（\%）$$

〈良好な状態〉

固定負債
自己資本
固定資産

〈長期資本不足〉

固定資産
固定負債
自己資本

固定資産は、長期にわたって資本が拘束されるため、その調達源泉は長期資本であるべきであり、固定長期適合率は、100%以下であることが必要となります。

4 資本調達構造

　資本調達構造は、企業の支払能力というよりも、企業の資金調達構造の安全性を分析する指標です。具体的には、その企業が、他人資本と自己資本でどのように資金調達をしているかを表す指標になります。

　資本調達構造分析には、以下の指標が使われます。

❶ 自己資本比率

　自己資本比率は、総資本に占める自己資本の割合を示す指標です。

板書 自己資本比率

$$自己資本比率（\%）＝\frac{自己資本}{総資本（総資産）}×100$$

計算例

$$自己資本比率（\%）＝\frac{134,500}{339,300}×100＝39.64\cdots≒39.6（\%）$$

☆高いほうが望ましい

自己資本は、原則として返済義務がないため多いほど望ましく、自己資本比率もまた高いほうが望ましいのです。
1次試験と2次試験で頻出の指標です。

❷ 負債比率

負債比率は、他人資本と自己資本のバランスを評価するための指標です。

板書 **負債比率**

$$負債比率（\%）= \frac{負債}{自己資本} \times 100$$

計算例

$$負債比率（\%）= \frac{204,800}{134,500} \times 100 = 152.26\cdots ≒ 152.3（\%）$$

☆低いほうが安全性が高い

安全性の面からは、企業は他人資本に大きく依存しないことが望ましく、一般的には、負債比率は低いほうが安全性は高いと判断されます。
2次試験でも頻出です。

安全性分析は、指標の名称から分子と分母を想定しづらいため、すべて1次試験で頻出です。

Section1の財務諸表とSection2の経営分析は密接不可分の関係にあるため、Section2を見たあとに、ぜひSection1を見直しましょう！

Column

「末っ子が継ぐ伝統のわさび店：経営改革と挑戦」

　都市部から離れた静かな町に、わさびを製造・販売する店があった。店の先代は長年地域の人々に愛されてきたが、数年前に亡くなり、3人姉妹の末っ子である玲子が後を継いでいる。玲子は情熱を持ってわさび漬けなどの商品を作り続け、年商2,000万円を何とか維持するために頑張っていた。

　この店は地域の飲食店や土産物店に関連商品を卸していたが、その価格は「お友達価格」として設定されていたため、利益が少なく、設備も古いため生産効率も良くなかった。さらに、価格を改定しようとするたびにベテランのパート従業員から「そんなに高くしたら売れないよ」と言われ、なかなか価格を変更することができなかった。

　一方で、店は観光シーズンになると観光客が訪れる人気スポットで、駐車場も完備しており、ニーズに応えるためにも商品を効率よく生産する必要があった。

　ある日、玲子は中小企業診断士の助言を受けることにした。

　まず、損益計算書を見て、原価率を明確にすることを提案された。これにより、商品一つひとつのコストがどれほどかかっているのかを理解することができた。

　さらに、計画的な設備投資を行うためには、どれくらいの資金がいつまでに必要かを算出し、内部留保を計画的に行うことが重要だと指摘された。そのためには価格設定を見直し、適正な価格を設定する必要があった。

　玲子は勇気を出してベテランパート従業員と対話し、新しい価格設定について説明し、納得してもらう努力をした。結果、適正な価格に改定することができ、利益率も向上した。また、計画的な設備投資によって生産効率も改善され、観光シーズンに対応する体制も整えることができた。

(F)

第3章
企業経営理論

診断士試験で企業経営理論について学習するのはなぜ?

○企業経営理論の位置づけ

　企業経営理論は、経営の概論を学ぶ科目です。いい換えれば、中小企業診断士試験の"入口"になる科目であり、1次試験だけでなく2次試験にも出題される重要な科目です。この科目で学習する内容は、いずれも中小企業診断士試験の合格だけでなく、ビジネスパーソンとして生きるなかでも役立つ知識ばかりです。「今日から使える身近な知識」が多いことから、はじめの1科目として学ぶのに最も適しています。

○企業経営理論の学習範囲

　中小企業診断士試験は"経営の専門家"になるために、企業活動に必要な知識を幅広く学習します。

　具体的には、オリエンテーション編の科目ごとの特徴にもあったとおり、大きく分けて**①経営戦略　②組織論　③マーケティングの3つの内容を学習します。**

　①では、企業が継続的に戦っていくうえでの指針にもなる経営戦略の全体像や、企業をいかにして成長させていくかの指針である成長戦略、競争相手(ライバル)に対していかにして優位性を作っていくかの指針である競争戦略など、企業の戦略について学習します。②では、主に組織の形や仕組みにあたる組織構造論(組織のハード面)と、組織に参加するメンバーたちの行動面や心理面に着目した組織行動論(組織のソフト面)などです。最後に③では、マーケティングの基本となる4Pの戦略(製品戦略、価格戦略、物流戦略、プロモーション戦略)や、製品を購買する消費者の行動などが学習の中心となります。

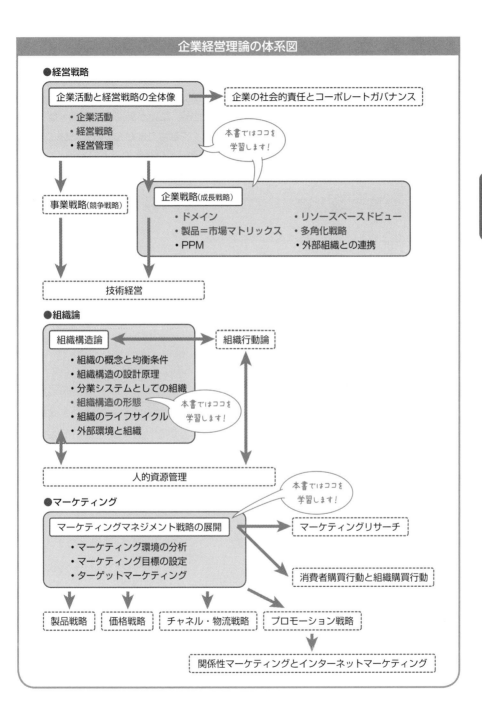

企業経営理論の体系図

●経営戦略

企業活動と経営戦略の全体像
- 企業活動
- 経営戦略
- 経営管理

→ 企業の社会的責任とコーポレートガバナンス

本書ではココを学習します！

事業戦略(競争戦略)

企業戦略(成長戦略)
- ドメイン
- 製品＝市場マトリックス
- PPM
- リソースベースドビュー
- 多角化戦略
- 外部組織との連携

技術経営

●組織論

組織構造論
- 組織の概念と均衡条件
- 組織構造の設計原理
- 分業システムとしての組織
- 組織構造の形態
- 組織のライフサイクル
- 外部環境と組織

← 組織行動論

本書ではココを学習します！

人的資源管理

●マーケティング

本書ではココを学習します！

マーケティングマネジメント戦略の展開
- マーケティング環境の分析
- マーケティング目標の設定
- ターゲットマーケティング

→ マーケティングリサーチ

→ 消費者購買行動と組織購買行動

製品戦略　　価格戦略　　チャネル・物流戦略　　プロモーション戦略

関係性マーケティングとインターネットマーケティング

経営戦略

　経営資源（ヒト、モノ、カネ、情報）が十分にあったとしても、経営資源をうまく配分をしていかないと目標や目的は達成できません。企業が長期的に存続・成長していくためには、その方向性（戦略）を決めなくてはなりません。ここでは、その方向性の基本となるさまざまな戦略について学習していきます。

1 企業活動とは　　　企業活動の基本の流れをつかもう！

　世の中にある企業の規模や業種はさまざまですが、ここではどんな企業にも共通する一般論としての「企業活動」について考えてみましょう。企業活動および経営管理とは何かを知り、経営戦略との関係について理解を深めます。

1 企業活動の全体像

　131ページの板書は、企業活動の全体像を図式化したものです。たとえば製造業の場合には、原材料市場において原材料供給者から原材料を購入します。また、必要であれば、金融市場から資金を、労働市場から労働力をそれぞれ調達して、製品の生産を行い、それに付加価値を付して製品市場で販売し、資金を回収します。

　このような企業活動のうち、原材料市場、金融市場、労働市場、製品市場の４つの市場に対しての活動は、企業の外部環境に対しての活動と考えることができます。

　そして、これらの生産や販売といった活動は労働市場から調達した「人」により行われます。企業は人の集まり＝組織ですから、組織内における協働がまた重要なテーマです。組織内における協働は、内部環境に対しての活動にあたります。

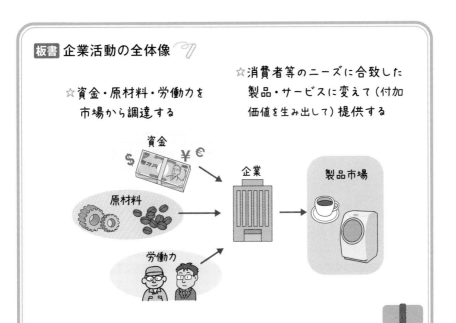

板書 **企業活動の全体像**

☆資金・原材料・労働力を
　市場から調達する

☆消費者等のニーズに合致した
　製品・サービスに変えて（付加
　価値を生み出して）提供する

資金

原材料

労働力

企業

製品市場

このように、企業活動は外部環境に対する活動と内部環境に対する
働きかけの両方により成立していると考えることができ、同時に両者
へのマネジメント（経営管理活動）もまた必要となります。

経営戦略とは何かという問いに対する答えは、さまざまな識者がさまざまな表現によって定義づけていますが、端的にいえば、下記のようにとらえることができます。

板書 経営戦略とは

経営戦略 ➡ 企業がいかに経営目的を達成し、成長していくかについての指針

1 経営戦略の階層別分類

経営戦略は、大きく、「①企業戦略」「②事業戦略」「③機能戦略」に分類されます。

企業全体の経営資源の配分を決める戦略（企業戦略もしくは成長戦略）から、個別の事業・製品分野の戦略（事業戦略もしくは競争戦略）、各職能における戦略（機能戦略）というように、階層別に展開されています。

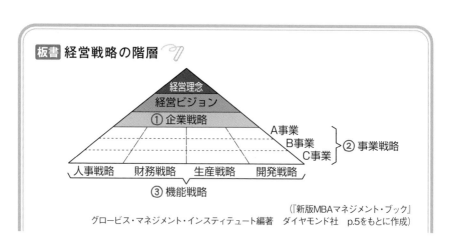

板書 経営戦略の階層

経営理念
経営ビジョン
① 企業戦略
A事業
B事業　　② 事業戦略
C事業
人事戦略　財務戦略　生産戦略　開発戦略
③ 機能戦略

（『新版MBAマネジメント・ブック』
グロービス・マネジメント・インスティテュート編著　ダイヤモンド社　p.5をもとに作成）

① 企業戦略（成長戦略）

企業が長期間にわたって持続的な成長を維持していくための<u>全社的な戦略</u>

具体的には
企業ドメイン※、リソースベースドビュー、多角化、PPM、組織間連携など

② 事業戦略（競争戦略）

特定の事業分野において、競争相手に対して<u>競争優位性を確立し</u>ていくための戦略

具体的には
事業ドメイン※、ポーターの競争戦略論、競争地位別戦略など

③ 機能戦略

購買、生産、営業、研究開発、財務、人事、情報システムなどの<u>各機能の生産性を高めることに焦点をあてた戦略</u>

第3章　企業経営理論

用語 ▶ **企業ドメインと事業ドメインとは？**

企業戦略と事業戦略に似た用語で、企業ドメインと事業ドメインという用語があります。ドメインはこのあと学習しますが、事業領域のことをいいます。戦略と同様に企業ドメインと事業ドメインに分けることができます。
企業ドメインは、企業が展開していく事業の範囲や事業の組み合わせ、会社のアイデンティティ（同一性、基本的性格）を決めていくことです。
事業ドメインは、その事業の範囲を規定することであり、具体的には、どのような消費者をターゲットにし、どのようなニーズを満たしていくのかといったことを規定することです。

2 経営戦略と環境分析

　企業が市場競争において勝ち残るためには、自社の状況を適切に把握して、競合他社との比較において優位に立てる戦略を策定する必要があります。企業の戦略部門や各事業部門が、事業領域でどのような戦略を実行すべきか、あるいは課題は何かを検討する際に、企業の直面する外部環境※（機会、脅威）と経営資源などの内部環境※（強み、弱み）を分析します。この分析のフレームワークとして**SWOT分析**があります。

用語 ▶ **外部環境分析、内部環境分析とは？**

　外部環境分析とは、企業の直面する外部環境について、機会（Opportunity）となる要因と、脅威（Threat）となる要因とを識別することをいいます。内部環境（資源）分析とは、企業の経営資源について、強み（Strength）と弱み（Weakness）を識別することをいいます。さらに、競争相手の強みと弱みとの相対比較を行います。内部環境（資源）分析においては、生産能力、技術力といったハード面だけでなく、ノウハウ、スキルといったソフト面についても分析します。

板書 SWOT分析

SWOT分析① 外部環境と内部環境について強みと弱みに分け、4象限で企業の特徴を洗い出す

	GOOD	BAD
内部環境	S：強み	W：弱み
外部環境	O：機会	T：脅威

SWOT分析② 洗い出した結果を分析する

	強み（ S : Strength）	弱み（ W : weakness）
機　会 （ O : Opportunity）	①強みを活かし機会をつかむ	②機会を逃さないように弱みを克服する
脅　威 （ T : Threat）	③脅威からの影響を最小限にとどめる	④撤退し他に委ねる

SWOT分析は、2次試験で不可欠な分析手法です。必ず使えるようにしましょう！

3 企業戦略（成長戦略）　　ドメインとVRIO分析を理解しよう！

　132ページで学習したとおり、戦略には階層があり、「企業戦略」、「事業戦略」、「機能戦略」に分類することができます。ここでは、企業戦略（成長戦略）について見ていきます。

板書 企業戦略（成長戦略）とは

目的 ：企業が長期間にわたって持続的に成長し続ける

具体的には
- ✔ 企業全体としてどのような領域で事業活動をしていくのか
- ✔ どのような新規事業を展開するのか
- ✔ 各事業への経営資源の配分をどうするのか

↑

上記のようなことを決定していくこと

ここからは、企業戦略のおもなテーマのうち、**1** ドメイン、**2** リソースベースドビュー、**3** 製品＝市場マトリックス、**4** 多角化戦略について見ていきましょう。

1 ドメイン（事業領域）

❶ ドメインとは

　ドメインとは、事業領域のことであり、現在から将来にかけて、企業の事業がいかにあるべきかを明示した企業の生存領域です。

　ドメイン設定のメリットは次のとおりです。

板書 ドメインを設定するメリット 🖊

ドメインを設定していると	ドメインを設定していないと
①企業の意思決定者たちの注意の焦点が定まる	①いろんなことに注意を払わなくてはならない

②どのような経営資源の蓄積が必要かについての指針となる	②どの経営資源を蓄積したらよいかの判断がしづらい

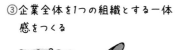

③企業全体を1つの組織とする一体感をつくる

③どこで戦っていくのかが不明瞭なため、一体感ができづらい

　ドメインの設定に際しては、自社の経営資源（一般的に、ヒト、モノ、カネ、情報のこと）を考えて、どのような領域で強みを発揮できるかという点と、自社の将来のあるべき姿を考えて、今後必要な経営資源を蓄積していくためにはどのような領域で活動する必要があるかについて検討すべきです。

❷　ドメインの定義と影響

　ドメインの定義には、物理的定義と機能的定義があります。

　機能的定義のメリットは、事業における将来の発展可能性を感じさせるという点にあります。

　たとえば、ウォルト・ディズニー・カンパニーは、自社のドメインを「エンターテインメント」と定義し、映画事業以外にアミューズメントパーク事業やキャラクター商品事業など幅広く展開して、大きな成功をおさめました。

　これに対して、高度経済成長期における日本の映画会社の多くは、映画の事業領域（物理的定義）を超える発想ができず、テレビの台頭により市場から姿を消したり、形を変えることになりました。

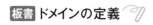

板書 ドメインの定義

① 物理的 定義	② 機能的 定義
「モノ」を中心に発想する	「コト」「顧客のニーズ」を中心に発想する
例 映画会社が自社の事業領域を『映画の製作』と定義する	**例** 映画会社が自社の事業領域を『エンターテインメント』と定義する
メリット とてもわかりやすいため、ターゲットとなる顧客や製品が明確になる	**メリット** 事業における将来の発展可能性を感じさせる
デメリット 事業活動の展開範囲が狭くなり、現在の事業領域を超える発想が出にくい	**デメリット** ドメインが抽象的になりすぎて、ターゲットとなる顧客や事業（製品）の性格が不明確になりやすい

【ドメインの定義の例】

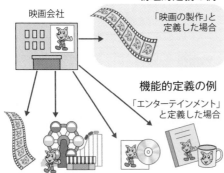

映画会社

物理的定義の例
「映画の製作」と定義した場合
環境が変化しても「映画の製作」が事業の中心

機能的定義の例
「エンターテインメント」と定義した場合
環境の変化に合わせて幅広く展開

❸ ドメインの変化とドメインコンセンサス

　企業のドメインを狭く規定すると、選択しうる将来の方向が狭く限定され

てしまうため、ドメインは環境変化に合わせて変化させる必要があります。

ドメインの変更には、組織の内部のみならず、組織外部とも合意（コンセンサス）を得ることが望まれます。

令和5年度第1問エ改題

？ 過去問にチャレンジ！

ドメインに関する記述として、下記の内容は適切か。

　事業ドメインには、部門横断的な活動や他の事業分野との関連性、将来の企業のあるべき姿や経営理念といった内容が含まれる。

× 部門横断的な活動や他の事業分野との関連性、将来の企業のあるべき姿や経営理念といった内容は、企業全体として設定するものであるため、「企業ドメイン」である（事業ドメインではない！）。

2 リソースベースドビュー

　外部環境も大事ですが、自社の人員やノウハウ、ブランドなどの経営資源を最大限に活用することは重要です。

　リソースベースドビューとは、このような経営資源（リソース）をベースにして、**競争優位性**を構築することです。

❶ VRIO分析

　VRIO分析とは、以下の①Value、②Rarity、③Inimitability、④Organizationsの4つの点から自社の経営資源を分析する手法です。

板書 VRIO分析

① 資源の価値（value）

➡ その資源に価値はあるのか？

その資源・能力があれば、事業機会を逃さず、脅威にうまく対応できるのか

② 資源の希少性（Rarity）

➡ その資源は珍しいものか？

競争相手のうち何社が、その価値ある資源・能力をすでに保有しているのか

③ 資源の模倣困難性（Inimitability）

➡ その資源は真似しづらいか？

その資源をもっていない企業がその資源を獲得・開発しようとすると、コスト面で不利が生じるのか

④ 組織（Organizations）

➡ その資源を使える組織力はあるのか？

資源・能力の潜在力を十分に引き出し、活用するように企業は組織されているか

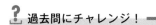 **過去問にチャレンジ！** ──────────── 令和5年度第2問エ改題

VRIO分析に関する記述として、下記の内容は適切か。

業界内で模倣困難かつ希少で価値ある経営資源を有していても、競争優位性を持続的に確立できないことがある。

> ○ 「業界内で模倣困難かつ希少で価値ある経営資源」とはV（価値）とR（希少性）とI（模倣困難性）を満たした経営資源であり、持続的な経営資源になり得る。ただし、この経営資源を組織（O）が潜在力を十分に引き出し、活用できないこともある。その場合は、競争優位性を十分に確立できない。

また、③の模倣困難性の規定要因には以下の４つがあります。

板書 <u>模倣困難性の規定要因</u>

VRIO分析の"I"

①独自の歴史的条件

経営資源がその企業独自の歴史によって形成されているかどうか
形成されるにあたって過去の出来事や発展経路に依存している程
度を<u>経路依存性</u>という
↳同じ歴史をたどれないから、真似できない！

②因果関係の不明性

↳競争優位の形成要因が不明である程度のこと
↳因果関係がわからなければ、何を真似してよいかもわからない！

③社会的複雑性

↳非物理的で、社会的な要因によるものかどうか
↳形があるものは真似しやすいが、コミュニケーションや評判など形が
ないものは真似がしづらい！

④特許

↳知的財産として確立されているかどうか
↳特許で守られると、真似ができない！

---

❷　ケイパビリティとコアコンピタンス

　競争優位の源泉となる経営資源については、さまざまな呼び方がありますが、よく使われるのが**ケイパビリティ**と**コアコンピタンス**です。厳密には異なる単語ですが、試験対策上はほぼ同じ単語と考えていただいて大丈夫です。

板書 **コアコンピタンスとは**

1. 独自性を生み出す組織能力
2. 模倣困難性が高い
3. さまざまな市場や製品の展開に活用できる

⬇

企業が多角化（複数の事業を展開）するときに活用できる、コアとなる経営資源

? 過去問にチャレンジ！ ──────────── 令和元年度第4問ウ改題

コアコンピタンスに関する記述として、下記の内容は適切か。

コアコンピタンスは、顧客が認知する価値を高めるスキルや技術の集合体であるから、その価値をもたらす個々のスキルや技術を顧客も理解していることが必要である。

> ✕ コアコンピタンスの要件には、「競合他社がマネすることが困難」という要件がある。そのため、企業外から把握するのが困難なものである。

---

3 製品＝市場マトリックス

企業戦略では、企業がどのような製品・市場で事業を行っていくかを決定します。経営戦略論のパイオニアであるアンゾフは、製品＝市場マトリックスによって経営戦略の展開エリアを4つに分類しました。

板書 製品＝市場マトリックス

製品（技術）

	既 存	新 規
既存 **市場**	**市場浸透戦略** 既存市場に既存製品を 投入し続ける戦略※1	**新製品開発戦略** 既存市場に新規製品を 投入する戦略※2
新規	**新市場開拓戦略** 新規市場に既存製品を 投入する戦略※3	**多角化戦略** 新規市場に新規製品を 投入する戦略

▢ ：拡大化戦略

※1 広告宣伝や価格などのマーケティング要素を有効活用して市場の占有率（市場シェア）を拡大する

※2 ①新しい機能を付け加えて、いままでと異なる品質の製品を製造する
②大きさや色の異なる追加機種を開発するなど
たとえば 自動車やスマートフォンなどのデザイン変更やモデルチェンジなど

※3 既存製品を未開拓の市場（地域や年齢など異なるターゲット）に展開する
たとえば 海外進出や女性用製品を男性用製品にアレンジして販売するなど

4 多角化戦略とは

　アンゾフによれば、多角化戦略とは新たな製品・市場分野に進出することです。一般的には、市場浸透戦略をはじめとする拡大化戦略と比べてリスクが高いといわれます。リスクの高い多角化戦略を展開する理由は、①組織スラック（余裕資源）の活用、②新しい事業分野の認識、③主力事業の需要の停滞、④リスクの分散、⑤シナジーの追求などがあげられます。

板書 多角化戦略を展開する５つの理由

①組織スラックの活用

　企業は、経営活動を通じて絶えず<u>組織スラック</u>（余裕資源※）を蓄積している

　⟶ この組織スラックを、多角化戦略のために有効活用できる

②新しい事業分野の認識

　企業を取り巻く外部環境の変化を受けて、それに対応する新しい事業分野を認識し、その事業分野に経営資源を投入する

③主力事業の需要の停滞

　現在主力となっている事業分野の需要が停滞する局面に入った場合には、新しい事業分野への進出を考慮する

④リスクの分散

　多角化戦略の展開により複数の事業を営むことによって、ある特定の事業の業績が悪化しても、他の事業でカバーすることができる

⑤シナジーの追求

　複数の事業間での経営資源の共有・補完によるシナジーを得るには、多角化による新事業の展開が有効である

用語 ▶ 余裕資源（スラック）とは？

組織のもつ余裕や遊びのことです。たとえば、在庫を多めにもつ、人員や機械の余裕をもつなど。顧客への納入期限に時間的な余裕をもつこともスラックのひとつと考えられます。スラックをもつことで不確実性がもたらすショックに対応できるなどのメリットがあります。

過去問にチャレンジ！ ━━━━━━━━━━━ 令和3年度第1問ウ改題

多角化に関する記述として、下記の内容は適切か。

多角化の動機の1つとして、社内に存在する未利用資源の活用があげられる。

◯ 本文中の余裕資源（スラック）に関する説明である。

多角化戦略には、現在の主力事業と関連のある事業分野に展開する「関連多角化」と、まったく関連のない事業分野に展開する「無関連多角化」の2つがあり、一般的に関連多角化のほうが成功率が高いとされています。

● シナジー

　⑤の**シナジー**とは、相乗効果ともいい、同一企業が複数の事業活動を行うことによって、異なる企業が別個に行うよりも大きな成果が得られることです。たとえば、阪急電鉄のような鉄道会社が、百貨店事業やアミューズメント事業（宝塚歌劇など）を行うように、ひとつの事業が他の事業にプラスの影響を与えることをいいます。

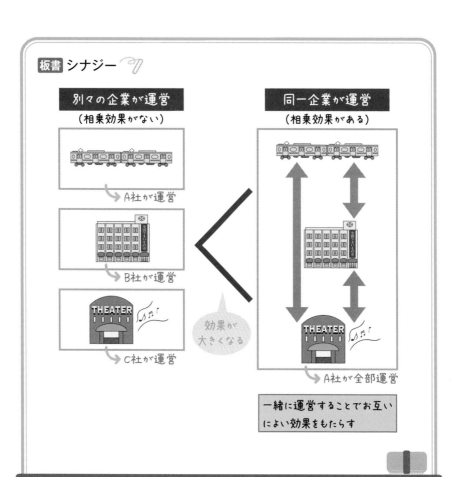

経済効果や規模の経済に関する記述として、下記の内容は適切か。

同一企業が複数の事業を展開することから生じる「シナジー効果」は、規模の経済を構成する中心的な要素の1つである。

> ✕ シナジー効果が、同一企業が複数の事業を展開することから生じるということは適切。後半の、規模の経済を構成する中心的な要素の1つというところが誤り。規模の経済性とは、生産量が増大するに従い、一個当たりの生産コストが減っていく現象のことである。そのため、シナジー効果と規模の経済性はまったく意味の違う言葉である。

なお、シナジーと似たような概念として**範囲の経済性**があります。範囲の経済性とは、企業が複数の事業活動を行うことにより、それぞれの事業を独立して行っているときよりも、より経済的な事業運営が可能になることをいいます。たとえば、光学技術のノウハウをもつ企業がカメラ事業だけでなく、プロジェクター事業やコピー機事業を展開することでノウハウを最大限に活用でき、経済的な事業運営ができるといったイメージです。

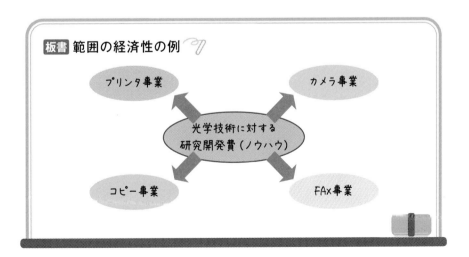

板書 範囲の経済性の例

プリンタ事業　カメラ事業

光学技術に対する
研究開発費（ノウハウ）

コピー事業　FAx事業

【シナジーと範囲の経済性の違い】

・シナジー	複数事業の組み合わせによって"効果が大きくなる"ことを狙う
・範囲の経済性	複数事業の組み合わせによって"効率よく運営できる"（＝経済的である）ことを狙う

　また、範囲の経済性に似た言葉で規模の経済性があります。規模の経済性は、同じものを数多く作って固定費を分散させること（＝大量生産によるコスト優位の戦略）を意味するのに対し、範囲の経済性は、多様な種類のものを作ることによって固定費を分散させることを意味します。範囲の経済の源泉には、販売チャネルや設備などの有形資源のほかに、ブランドや知識、ノウハウなどの無形資源がありますが、近年では特に後者を見えざる資産（情報的経営資源）として重要視するようになっています。

? 過去問にチャレンジ！ ━━━━━━━━━━━━ 令和5年度第1問ウ改題

　ドメインに関する記述として、下記の内容は適切か。

　経営者は事業間でシナジー効果がどれくらい働くのかを考えて、企業ドメインを決定する。

> ○　事業部間のシナジー効果とは企業全体のことのため、企業ドメインの内容である。

Section 2 組織論

企業が成果を上げるには、人（ヒト）の活躍が欠かせません。経営資源のモノやカネや情報を活用していくのは人のため、経営資源の中で一番重要な要素ともいわれます。ここでは人が活躍するための組織の形や仕組みである組織構造論（組織のハード面）と、組織で働く人の行動面や心理面に着目した組織行動論（組織のソフト面）について主に学習していきます。

1 中小企業診断士試験における組織論の位置づけ
「人」を組織で活用するための必要知識を学ぼう！

中小企業診断士試験における「組織論」は、一般的な組織構造論と組織行動論に加えて、人的資源管理や労働関連法規まで含みます。企業活動を行うにあたり、内部資源である「人」を「組織」として活用するために必要な基礎知識を、多岐にわたって学びます。

> 組織構造論
> 組織の形や仕組み
> （組織のハード面）
>
> ⟷
>
> 組織行動論
> 組織で働く人の行動や心理
> （組織のソフト面）

本書では、「組織構造論」の中の「組織構造の形態」について解説していきます。

2 組織構造の形態

　組織の基本は「分業」と「統合・調整」になります。組織構造の形態とは、この「分業」と「統合・調整」のあり方を決めることです。

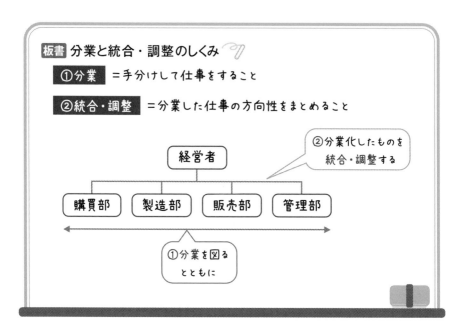

板書 分業と統合・調整のしくみ

①分業　＝手分けして仕事をすること

②統合・調整　＝分業した仕事の方向性をまとめること

　　　　　　　　　　　　　　　　　　　②分業化したものを
　　　　　　　　　　　　　　　　　　　　統合・調整する
　　　　　　　　　経営者

購買部　　製造部　　販売部　　管理部

　　　　　　　①分業を図る
　　　　　　　　とともに

1 ラインとスタッフ

　ラインとスタッフは、組織構造を決めるうえでの基本概念であり、その違いは職能の内容と権限関係から生まれます。

❶ ライン

　ラインとは、経営活動の基本的職能です。「基本的職能」の定義は一様ではありませんが、具体例をあげるなら、購買、製造、販売といった企業の目的達成を直接行う職能のことです。

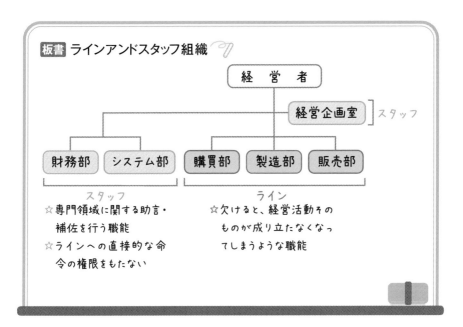

❷ スタッフ

スタッフは、ラインの活動を支援していく職能であり、いわば間接的職能です。スタッフは、ラインの管理職能の複雑化によって、経営者・管理者が管理職能を十分に遂行できなくなったために生まれてきた経緯があります。

板書 ラインアンドスタッフ組織

```
              経 営 者
                  │
                  ├──── 経営企画室 ] スタッフ
      ┌───────┼───────────┐
   ┌──┴──┐ ┌──┴──┐  ┌──┴──┐ ┌──┴──┐ ┌──┴──┐
   │財務部│ │システム部│ │購買部│ │製造部│ │販売部│
   └─────┘ └─────┘  └─────┘ └─────┘ └─────┘
      スタッフ              ライン
```

☆専門領域に関する助言・補佐を行う職能
☆ラインへの直接的な命令の権限をもたない

☆欠けると、経営活動そのものが成り立たなくなってしまうような職能

---

2 組織構造の一般形態

❶ 機能（職能）別組織

企業の代表的な機能としては、人事、営業、製造、購買、研究開発、経理、財務などがあります。機能（職能）別組織とは、これら個々の機能を単位化した組織です。つまり、企業の部門が、人事部、営業部、製造部、経理部など、機能の名称で構成されている組織のことをいいます。

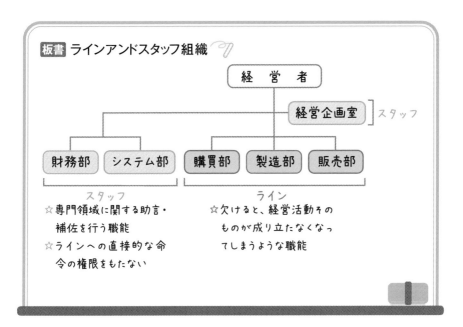

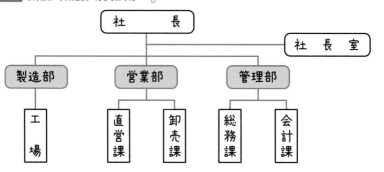

板書 機能（職能）別組織

< 機能（職能）別組織のメリット・デメリット >

メリット	デメリット
◆分業により各機能の熟練が形成され、専門性が発揮できる（専門化の原則）	◆機能部門間の調整などトップの負担が大きく、トップの意思決定に遅れが生じる可能性がある。そのため、環境変化や顧客ニーズへの対応が遅れる懸念がある
◆業務集中による規模の経済が発揮できる	
◆トップ権限集中型の単純な階層構造であり、組織の統制を図りやすく（命令統一性の原則）、トップは広い範囲の情報を集めたうえで大局的な意思決定ができる	◆機能部門間で垣根が生じる可能性があり、組織内の人事交流が停滞し、部門横断的な対応や組織内の情報共有が困難になる懸念がある
◆機能別組織を導入する前と比べて、トップは日常的意思決定から解放され、全社的意思決定に専念しやすくなる（ただし、限界はある）	◆機能部門管理者が担当領域に専門化してしまい、全社的なマネジメント力がある人材が育ちにくい
	◆各機能部門の利益責任の所在が不明確である

機能別組織の特徴として、下記の内容は適切か。

機能（職能）別組織において、各機能部門長は事業戦略の策定・執行に関する最終責任を負っている。

> ✕ 機能別組織においては、各機能部門長は、営業、製造、開発といった各機能の責任者である。よって、各機能部門長は特定機能に関する責任しか有していないため、事業戦略を構築する立場にない。

❷ 事業部制組織

①事業部制組織の特徴

事業部制組織とは、事業部とよばれる管理単位を本社のトップマネジメントの下に編成した組織形態であり、その大きな特徴は、**分権管理組織**という点にあります。各事業部は資本利益率（ROI）によって管理されています。

＊資本利益率（ROI）➡財務・会計

②事業部分割の基準

事業部は、**製品・サービス、地域、顧客**などを基準に編成され、大幅な権限が委譲されています。各事業部は、事業部単位の計画・統制を行い、企業全体の利益向上に貢献します。このような事業部を**プロフィットセンター**（利益責任単位）とよびます。

板書 事業部制組織

〈製品別事業部制組織〉

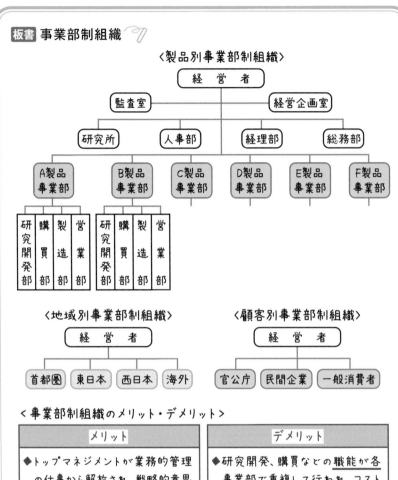

〈地域別事業部制組織〉

経営者

首都圏　東日本　西日本　海外

〈顧客別事業部制組織〉

経営者

官公庁　民間企業　一般消費者

〈事業部制組織のメリット・デメリット〉

メリット	デメリット
◆トップマネジメントが業務的管理の仕事から解放され、戦略的意思決定に多くの時間をあてられる ◆現場の状況に即応した弾力的で迅速な意思決定が可能である ◆下位管理者のモチベーションが高まるとともに、管理者の能力を高め、次代の経営者の養成が可能となる	◆研究開発、購買などの職能が各事業部で重複して行われ、コストがかさむ ◆各事業部がそれぞれの利益の達成にこだわり、視野が狭く、短期的な判断に陥りやすい ◆事業部間の競争が激化し、セクショナリズムをもたらしやすい

🔒 **過去問にチャレンジ!**

主要な組織形態に関する記述として、下記の内容は適切か。

事業部制組織では、各事業部が素早く有機的に連携できるため、機能別組織よりも事業横断的なシナジーを創出しやすい。

> ✕ 事業部制組織は、各事業部に権限を付与するため、板書のデメリットの記述にあるとおり、事業部間の連携がとりづらくなる。そのため、シナジーは起きづらい。

❸ **マトリックス組織**

マトリックス組織とは、横断型組織あるいは格子型組織ともいわれます。プロジェクトチームが恒常的に組織内に埋め込まれたようなもので、職能別組織と（製品別）事業部組織のもつ利点を同時に狙った組織形態です。

マトリックス組織は大規模なイメージがありますが、必ずしも大きい組織ばかりではありません。マトリックス組織の最大のねらいは範囲の経済性の追求です。そのため、限られたリソースを最大限に活用したい中小企業にとっても適した組織形態といえます。

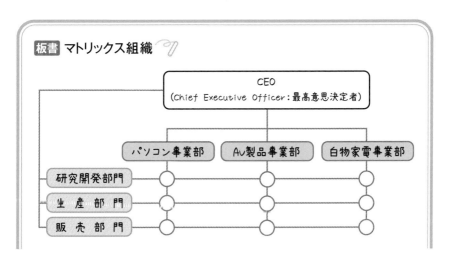

板書 マトリックス組織

155

＜マトリックス組織のメリット・デメリット＞

メリット	デメリット
◆職能、製品など2次元に基づいた組織的統合を図ることができる ◆人的資源が共有でき、また、課題に柔軟に対応できる ◆情報の共有により情報処理が迅速化する	◆組織構成員が2人の上司から指示を受けるいわゆるワンマンツーボスシステムのため、組織内にコンフリクト※が発生しやすい ◆命令系統の錯綜により、責任の所在が不明確になる ◆複数の管理者間での意見の対立が増大する

 過去問にチャレンジ！ ━━━━━━━━━ 令和5年度第14問オ改題

主要な組織形態に関する記述として、下記の内容は適切か。

　マトリックス組織は、複数の命令系統があることで組織運営が難しいため、不確実性が低い環境において採用されやすい。

> ✕　前半の「複数の命令系統があることで組織運営が難しい」は正しい。「課題に柔軟に対応」と「情報処理が迅速化」というメリット（板書で記述）があるため、不確実性が高い環境で採用されやすい。

用語 ▶ **コンフリクトとは？**

 相対立する目標、態度、行動から生まれる葛藤や対立のことです。コンフリクトは組織間、集団間、集団内、個人間だけでなく個人内でも生じるもので、あらゆるレベルで不可避的に発生します。必ずしもマイナスなものではなく、コンフリクトが生じることで新しい価値の創造につながることもあるので、むしろ積極的に活用できるようなマネジメントが望まれます。

Section 3 マーケティング

製品（モノ）を売るためには何が重要なのでしょうか？ 良い製品を作ったとしてもそれに対しての値段や販売場所、宣伝方法がその製品とうまく合っていないと製品は売れません。ここではマーケティングの要素である4P（製品戦略、価格戦略、物流戦略、プロモーション戦略）など、製品を売るための仕組みについて学習します。

1 マーケティングマネジメントプロセス 売るための仕組みづくり！

マーケティングマネジメント戦略、一般的に“マーケティング”とよばれる企業活動は一言でいうと「売るための仕組みづくり」です。具体的には、消費者ニーズの認識・魅力的な商品開発・有効な価格設定・流通や店舗の構築・適切なプロモーションといった“売るため”に行う一連の活動をまとめた概念です。

マーケティングは、はじめにマーケティングマネジメントプロセスを構築し、その中でマーケティングの4つの要素である4P（Product、Price、Place、Promotion）を統一的に展開させていく、という順で行います。それぞれ詳しく見ていきましょう。

1 マーケティングマネジメントプロセス

P.コトラーは、マーケティングマネジメントプロセスを次のように定義しています。

板書 マーケティングマネジメントプロセス

マーケティングマネジメントプロセス とは

❶市場機会を分析し、❷標的市場を選定し、❸マーケティングミックス戦略を開発し、❹マーケティング活動を管理していくこと

コトラーの定義を参考にして、ここでは、マーケティングマネジメントプロセスを、以下の流れで把握していきます。

① マーケティング環境の分析…………SWOT分析　**2**▪
② マーケティング目標の設定…………具体的な施策の設定　**3**▪
③ 市場細分化…………………………セグメンテーション ⎫
④ 標的市場の選定……………………ターゲティング　　　⎬ **4**▪
⑤ 市場ポジショニング………………ポジショニング 　　⎭
⑥ マーケティングミックスの開発……４Ｐの開発 ⎫ **5**▪
⑦ マーケティングミックスの実行……４Ｐの実行 ⎭

　なお、マーケティングミックスとは、マーケティング要素（4P）の適切な組み合わせをいいます。

板書 4P ✐

❶ Product（製品）
　↳ どんな製品を売るのか？　など

❷ Price（価格）
　↳ いくらで売るのか？　など

❸ Place（チャネル・物流）
　↳ どんな流通経路で売るのか？　など

❹ Promotion（プロモーション）
　↳ どんな広告で知ってもらうのか？　など

---

2 マーケティング環境の分析　ここでも SWOT 分析を活用！

Section1 の経営戦略と環境分析でも出てきたフレームワークである「SWOT 分析」は、マーケティング環境の分析でも同様に活用することができます。SWOT 分析は企業の外部環境に対してその機会（Opportunity）と脅威（Threat）、また企業の内部資源に対してはその強み（Strength）と弱み（Weakness）の分析を行うものでした。経営戦略の環境分析で用いるのはマクロ的な外部環境だったのに対し、マーケティングではミクロ的な視点でも環境分析を行います。

1 企業の外部環境分析

企業の外部環境は、①マクロ的外部環境と②ミクロ的外部環境に大別されます。

板書 企業の外部環境分析

①マクロ的外部環境

1) 経済的環境：国内総生産、経済成長率、景気動向、失業率、可処分所得など
2) 人口動態的環境：出生率、人口規模、年齢構成、世帯構成など
3) 社会文化的環境：文化、国籍、宗教、人種、イデオロギーなど
4) 技術的環境：情報通信技術、産業に影響を与える技術など
5) 政治・法律的環境：法律、政府機関の意思決定、規制緩和など
6) 自然的環境：天然資源、環境など

②ミクロ的外部環境

1) 消費者：消費者市場、消費者購買行動など
2) 競争企業：競争構造など
3) 利害関係集団：供給業者、仲介業者、金融機関、マスメディアなど
4) 産業状況：産業の規模や魅力度、供給構造、流通構造など

---

2 企業の内部資源分析

自社の内部資源を、競争企業や業界の平均値などと比較して、その強みと弱みを明確に把握することがこの分析の内容です。

企業内部の経営資源は以下のようなものがあります。

板書 企業の内部資源

1) 人的資源：経営陣、営業担当者、研究開発担当者など
2) 財務資源：収益獲得能力、経営安定性、資金調達構造、キャッシュフローなど
3) 物的資源：保有資産の価値など
4) そ の 他：各種情報、経営ノウハウ、技術力、社風、ブランド、知的財産権など

【マーケティング環境】

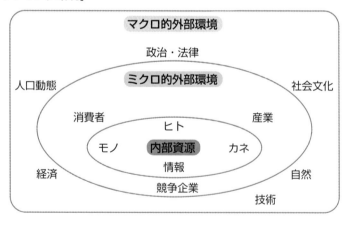

3 マーケティング目標の設定　主に4つの目標がある!

　経営目的は経営目標と経営理念から構成されますが、ここでのマーケティング目標は、経営目標としての企業全体の数値目標から事業目標にブレイクダウンして導き出します。

　主なものに、①売上高目標、②利益額、利益率目標、③市場占有率（マーケットシェア）目標、④企業・製品イメージ目標などがあります。

板書 マーケティング目標 🖇

①売上高目標

マーケティング目標として<u>最も重要かつ一般的な目標</u>

　　☆企業の経営目標の中で、最も普遍的なものは売上高!

②利益額、利益率目標

売上高を獲得するための費用を考慮した、<u>結果としての利益の額の目標</u>

　　☆売上高利益率：売上高に対する利益の割合
　　☆資本利益率（ROI）：企業が調達した資金からどのくらい利益が発生しているか

③市場占有率（マーケットシェア）目標

<u>市場占有率</u>（目標とした市場の全需要の中で自社製品の売上高が占める割合）の目標

　　☆競合他社との競争関係にも考慮が必要!

④企業・製品イメージ目標

市場のリーダー企業が設定することが多く、企業の名声や製品の好イメージを市場で確立するもの

　　☆イメージを数値目標として把握することは、他の目標に比べて難しい点に注意が必要!

市場占有率目標を設定するには、競争戦略※のどのタイプ（差別化戦略、低コスト戦略など）を採用するのか、あるいは自社の競争上の地位※がどこにあるのか（リーダー、チャレンジャーなど）を明確にすることが重要です。

用語 ▶ **競争戦略とは？**

ポーターは競争戦略を「戦略の優位性」と「戦略ターゲット」の2軸で、3つの戦略があるとしています。
①差別化戦略 ： 自社の製品に買い手にとって魅力的な「独自性」を打ち出すことで差別化を図る戦略
　　　　　　　※価格以外の点で他社への優位性を築くのが特徴
②低コスト戦略：同種の商品を他社より低いコストで生産する戦略
　　　　　　　※広い市場にたくさん売ることで、他社と同等の価格でも利益を出すことができる（低コスト≠低価格）
③集中戦略 　 ： 市場を細分化し、自社製品・サービスの特徴に合う特定の顧客をターゲットにする戦略
　　　　　　　※ターゲットを絞る（＝ニッチな市場を狙う）ことで、差別化・コストの両面で優位を狙う

用語 ▶ **競争上の地位とは？**

市場占有率に基づき、企業の業界の地位は4つのタイプに分けることができます。業界内でどの位置にあるかによって、取るべきマーケティング戦略が異なります。
①リーダー 　　 ：業界内で最大の市場シェアを誇る企業
②チャレンジャー：リーダーに次ぐシェアをもち、リーダーに挑戦できる企業群
③フォロワー 　 ：リーダーに挑戦できるほどのシェアはなく、現状維持を目指す企業群
④ニッチャー 　 ：採算が合わないためリーダー企業が狙わない分野を狙う企業群

4 ターゲットマーケティング ターゲットを明確にしたマーケティング手法!

マーケティング目標が設定された後は、その目標を達成するために市場の選定が行われます。市場を選定する際には、まずその市場を同じニーズをもつ消費者グループに細分化することが必要となります。

1 ターゲットマーケティング

消費者の価値観や嗜好が多様化している昨今では、消費者のニーズを単一なものと考えて市場に同じ製品を大量に投入していくマーケティング手法（マスマーケティング）では、消費者の個々のニーズに対応することが困難です。

そこで、市場を細分化し、その中で最も適切な市場を標的（ターゲット）とし、その標的市場（ターゲットマーケット）に対して最も効果的なマーケティング手段を投入していく方法（ターゲットマーケティング）が広く採用されています。「市場細分化」「標的市場の設定（市場ターゲティング）」「市場ポジショニング」が、ターゲットマーケティングの内容となります。

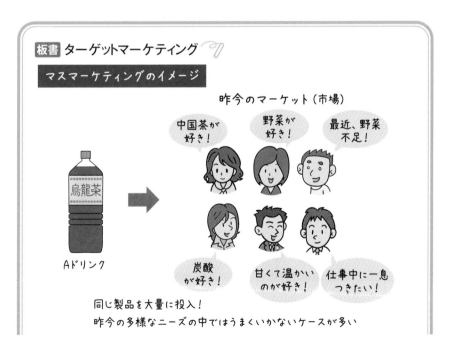

板書 ターゲットマーケティング

マスマーケティングのイメージ

昨今のマーケット（市場）

中国茶が好き！　野菜が好き！　最近、野菜不足！

烏龍茶

Aドリンク

炭酸が好き！　甘くて温かいのが好き！　仕事中に一息つきたい！

同じ製品を大量に投入！
昨今の多様なニーズの中ではうまくいかないケースが多い

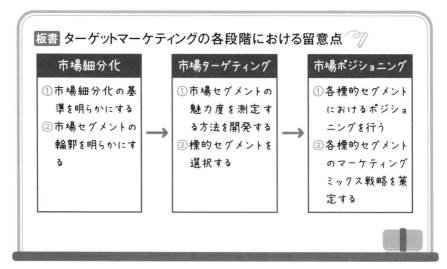

2 市場細分化

市場細分化（マーケットセグメンテーション）とは、市場を一定の規模を保ちながら、かつ同質的なニーズをもつ消費者の集合に区分していく手法です。

細分化された市場のことを**セグメント（もしくは市場セグメント）**とよびます。

❶ 市場細分化の基準

市場を細分化する際に使用される基準としては、次のようなものがあります。

板書 市場細分化の基準 🖊

変数（切り口）	セグメントの例	該当する商品例
①ジオグラフィック基準（地理的基準）：地理的な基準を用いるもの		
地方	関東、関西など	地域限定商品：東京ばな奈 季節限定商品：メルティー
気候	寒暖、季節など	キッス（明治） ロードサイドディスカウント
人口密度	都市部、郊外、地方など	ストア：ドン・キホーテ
②デモグラフィック基準（人口統計的基準）：人口統計的な基準を用いるもの		
年齢	少年、ヤング、中年、高齢者など	少年誌：週刊少年ジャンプ（集英社）
性別	男性、女性	女性向けタバコ：バージニ
家族構成	既婚、未婚など	ア・エス（フィリップ モリス）
所得	3,000万円以上など	高級車：レクサス （トヨタ自動車）
職業	ブルーカラー、ホワイトカラーなど	健康ドリンク：リゲイン （第一三共ヘルスケア）
③サイコグラフィック基準（心理的基準）：消費者の心理的な側面に焦点をあてるもの　※主観的なので、消費者調査が必要になる		
ライフスタイル	スポーツ好き、アウトドア志向など	RV車
パーソナリティ	新しいもの好き、保守的など	

---

④行動変数基準：消費者の製品に対する知識、態度、使用、反応などに焦点をあてるもの

求めるベネフィット	経済性、機能性、プレステージなど	機能性飲料
使用率	ノンユーザー、ライトユーザー、ヘビーユーザーなど	

※ジオグラフィック基準とデモグラフィック基準をまとめてデモグラフィック基準とする場合もある

※サイコグラフィック基準と行動変数基準をまとめてサイコグラフィック基準とする場合もある

市場細分化のメリット

◆消費者の多様なニーズに適合した製品の提供が可能となる

◆マーケティング資源が有効に活用される

◆市場環境の変化に柔軟に対応できる

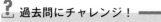

過去問にチャレンジ！ ——————————————— 令和元年度第27問ア改題

市場細分化に関する記述として、下記の内容は適切か。

BtoBマーケティングで企業規模に基づき市場細分化を行った場合、各セグメント内の企業は企業規模以外の基準においても均一となる。

> ✕ 企業規模に基づいて市場細分化を行った場合、各セグメント内の企業は同程度の企業になるが、企業規模以外の基準においては考慮していないため、均一とならない。

3 標的市場の設定

　市場を細分化したら、市場セグメントの魅力度を測定する方法を開発し、標的セグメントを選択します。標的セグメントの選択方法は、代表的なものにコトラーによるもの、エーベルによるものなどがあります。ここでは、エ

ーベルの理論を見てみましょう。

　D.F.エーベルは、標的市場のとらえ方を、全市場を対象とする「**全市場浸透型**」と、絞り込んだ市場を対象とする「**単一セグメント集中型**」「**製品専門型**」「**市場専門型**」「**選択的専門型**」という5つに分類しています。

【製品－市場細分化戦略】

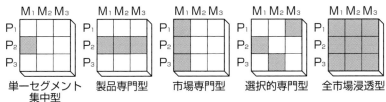

　P＝製品　M＝市場

（『例解マーケティングの管理と診断』徳永豊/森博隆/井上崇通編著　同友館　p.79をもとに作成）

4 市場ポジショニング

　市場ポジショニング（分析）とは、競争上の位置づけを意味し、製品間における競争のなかで、いかにして自社製品が競合製品と差異を図り優位に立つかを検討することをいいます。市場細分化の最終段階としてポジショニングを行い、競争市場で自社の占めたい位置を決定します。

　ポジショニング分析では、消費者が意識する製品の知覚上の位置づけを表す**知覚マップ**を作成し、当該製品の相対的な知覚上の位置づけを分析・評価します。知覚マップを作成することで、新製品ならば目標をどのポジションに置くのか、既存製品ならばリポジショニング（ポジショニングの変更）する必要があるのかを検討します。

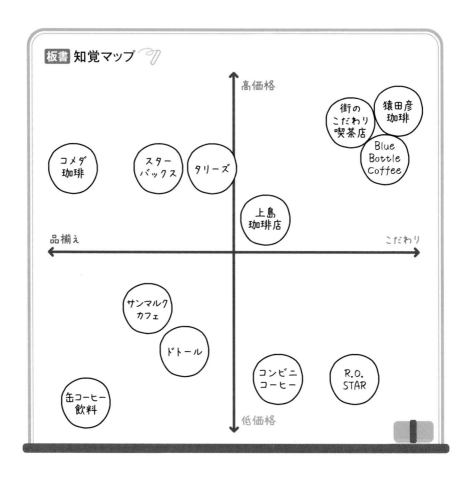

板書 知覚マップ

高価格

街のこだわり喫茶店

猿田彦珈琲

Blue Bottle Coffee

コメダ珈琲

スターバックス

タリーズ

上島珈琲店

品揃え

こだわり

サンマルクカフェ

ドトール

コンビニコーヒー

R.O. STAR

缶コーヒー飲料

低価格

ポジショニングには、競合製品との対比による位置づけと、自社の製品ラインでの位置づけという2つの意味合いがあります。自社の製品ラインにおける新製品のポジショニングを検討する際には、自社内でのカニバリゼーション（共食い）[※]を起こさないように注意する必要があります。

用語 カニバリゼーション（共食い）とは？

同一企業内の類似製品間で同一市場を奪い合う現象をいいます。

？ 過去問にチャレンジ！ ━━━━━━━━━━ 平成29年度第30問設問１ ウ改題

下記の内容は適切か。

タオルメーカーC社は、同社のランドマーク商品である、手触りのよいハンドタオルシリーズのブランドによって、高級ホテルやレストラン、スポーツジム、贈答品専門店など幅広いターゲットに対する働きかけを行っている。これは市場専門化によるターゲティング・アプローチである。

> ✕ C社は、主力商品の手触りのよいハンドタオルシリーズを幅広い市場に働きかけているので、「市場専門」ではなく「製品専門」である。

1 マーケティングミックスの開発・実行

マーケティングミックスの開発・実行は、企業がマーケティング目標を達成するために、標的市場に対し投入するマーケティング要素(4P)を開発し、実際に市場に投入していくことをいいます。

2 各マーケティング要素に関する意思決定事項

企業は、その市場においてどのような競争的地位を得ることを望むかを決定し、マーケティングミックスを決定します。マーケティングミックスは、企業が標的市場において求める競争的地位を規定し支援するための手段です。それぞれのマーケティング要素について決定する事項は、以下のとおりです。

板書 各マーケティング要素に関する意思決定(検討)事項

主な意思決定(検討)事項	
Product (製品)	製品の物的性質・特徴、品質、ブランド、保証、パッケージ、アフターサービス、製造・販売する製品の種類
Price (価格)	価格政策、価格設定法、価格変更の理由と時期、値入、値下げ、割引
Place (チャネル・物流)	流通経路、流通業者の選定、流通業者の評価、倉庫の数・立地、倉庫の設備、輸送手段、運送頻度、適正な在庫量
Promotion (プロモーション)	広告目的、広告予算、広告媒体、広告表現、広告効果測定、販売員の人数、販売員の教育訓練、販売員の業績評価、販売促進の種類・展開方法、パブリシティの目的・対象・実施方法

Column

「小売業の挑戦と進化：新たなステージへの一歩」

　東京に本社を構える小売業で、年商2億円の企業。関東の観光地に複数の直営土産物店を運営し、地域と観光客に愛されている。

　そんな中、新しい店舗を開店することになり、社員やパートを募集することになった。

　ある日の夕方、社長はオフィスの窓から外の景色を眺めながら、心配そうにため息をつく。

　「今までは社員全員の顔を見て直接話せていました。でも、これから新しい人たちとも同じように接することができるのでしょうか？」と不安を口にした。

　診断士はその言葉に耳を傾け、「組織のライフサイクル理論」について説明した。

　「社長、今の会社は成長していて、以前とは違う段階に進んでいます。これまでの方法ではなく、新しい管理の方法が必要です。新しい管理者を任命して、仕事を分担することで、社長が一人ですべてを把握する負担を減らすことができます。また、みんなが情報を共有しやすくなります。」

　社長はしばらく考え込んだが、やがて決意を固めたように強く頷いた。

　「確かに、事業が成長するには、この変化は避けられませんね。新しい体制を整えて、管理をしっかりしていくしかありません。それに、社員のやる気や能力を引き出すための仕組みも必要ですね。」

　その後、社長はすぐに体制図を作成し、新しい管理者とその役割を明確にした。また、公正で効果的な人事評価制度の導入にも取り組むことを決めた。

　これからの展開に期待が高まる中、会社は新たな一歩を踏み出した。直営店舗の拡大に向けて、全員が一体となり、成長を続けていく姿が見えるようだ。

　新しい挑戦に向かい、会社は一丸となって未来への道を切り拓いていくだろう。

(F)

第 **4** 章
運営管理

Section 1　生産管理
Section 2　店舗・販売管理

診断士試験で運営管理について学習するのはなぜ？

○**生産管理**について

　製造業は我が国のGDPの約2割を占める基幹産業です。当然ながら、中小企業診断士には、製造業の経営支援の現場で活躍することが、大きく期待されています。そのため中小企業診断士試験においても、製造業の経営支援には欠かせない生産管理に関する基礎的な論点が出題されます。

生産業務の効率化を図りたいんです

ECRSで考えてみましょうか

経営者　　　　　診断士

生産管理の体系図

生産管理概論
- 生産管理の基礎
- 生産管理の基本機能
- 生産形態

本書ではココを学習します！

製造業における情報システム

生産のオペレーション
- IE、品質管理、設備管理など

生産のプランニング

工場の設備配置（レイアウト）、生産方式、製品の開発・設計とＶＥ、生産技術、生産計画と生産統制、資材管理、在庫管理・購買管理

○店舗・販売管理について

　小売業は、私たち一般生活者にとって最も身近な業種であり、そのため運営管理の試験範囲の中では、生産管理に比べて店舗・販売管理の領域のほうが理解が進みやすいという方がいるかもしれません。一方、足元では、経営難に苦しむ地域の小売店も多いという現実があり、中小企業診断士には、地域のビジネスドク

ターとして身近な経営相談相手となることが期待されています。そのため中小企業診断士試験においても、小売業の経営支援に欠かせない店舗・販売管理に関する基礎的な論点が出題されます。

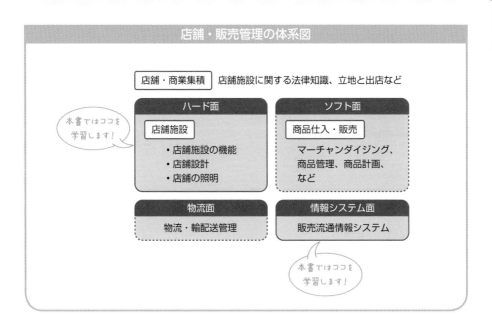

Section 1 生産管理

ここでは、中小企業診断士試験において特に重要となる、生産管理の基本機能と生産形態について学習していきましょう。

1 生産管理の基本機能　Q、C、Dの観点で生産活動を管理する！

生産管理は、設計・調達・作業という一連のプロセスからなる生産活動をQ（Quality：品質）、C（Cost：原価）、D（Delivery：数量および納期）の観点から管理するものです。簡単にいうと、生産管理は、生産活動の中でQCDを効果的・効率的に達成するためのさまざまな調整活動であり、その運営にあたっては、計画（Plan）・実施（Do）・統制（See）の管理サイクルを的確に実施することが重要となります。

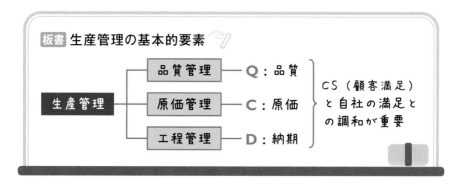

板書 生産管理の基本的要素

生産管理 ─┬─ 品質管理 ── Q：品質 ┐
　　　　　├─ 原価管理 ── C：原価 ├ CS（顧客満足）と自社の満足との調和が重要
　　　　　└─ 工程管理 ── D：納期 ┘

1 主な管理指標

まず着目すべきとても重要な管理指標は、❶生産性（Productivity）です。さらに前述のとおり、最も基本的な項目として、❷Q（Quality：品質）、❸C（Cost：原価）および❹D（Delivery：数量および納期）の3つがあげられます。

❶ 生産性（Productivity）

生産性（Productivity）とは、原材料や労働など生産に必要な要素に対して、

どれだけ産出できたかを表す指標です。たとえば、「労働生産性」など、一般的に「〜生産性」という使い方をします。

板書 生産性の計算式(例)

$$生産性 = \frac{産出量(output)}{投入量(input)}$$

◆ 労 働 生 産 性 $= \dfrac{生産量(生産金額)}{労働量(従業員数)}$

◆ 設 備 生 産 性 $= \dfrac{生産量(生産金額)}{設備量(機械台数)}$

◆ 原 材 料 生 産 性 $= \dfrac{生産量(生産金額)}{原材料使用量(金額)}$

◆ エ ネ ル ギ ー 生 産 性 $= \dfrac{生産量(生産金額)}{エネルギー使用量(金額)}$

この場合、「労働生産性＝付加価値額÷従業員数」や、「生産量÷労働量」のように、労働に対する投資に対し、どれだけ生産できているかの指標を算出します。試験では、計算させるような問題は出ないので、考え方だけ知っておけば大丈夫です！

過去問にチャレンジ！ 令和2年度第1問イ

産出量に対する投入量の比によって、生産性を求めた。

× 生産性は「投入量に対する産出量の比」で求める。

ひとこと

「生産性」は、いま我が国が最も向上させたい指標のひとつです。そのため、国家試験である中小企業診断士試験でも、頻繁に出題されます。

❷ Quality（品質）

製品の品質（総合品質）は、設計品質と製造品質から構成されます。

板書 **製品の品質**

①設計品質	②製造品質
製造の目標として狙った品質（「ねらいの品質」ともいう）	設計品質を狙って製造した製品の実際の品質（「できばえの品質」ともいう）

たとえば ↓

10年間使用可能な腕時計

たとえば ↓

10年間使用可能…合格！
5年間しか使用できない…当然アウト！
30年間使用可能…これもアウト！

日常的な感覚では「30年間使用可能なら改良したのだからよいのでは？」と思ってしまいますが、生産管理ではあくまで「狙ったとおり」に作ることが目的なので、注意しましょう。

❸ Cost（原価）

製品の製造原価です。一般的には目標となる標準製造原価を設定します。

❹ Delivery（数量および納期）

納期とは、受注生産（後述）では、顧客に製品を納めるべく、顧客と約束した期日をいいます。また、見込生産（後述）では、製品を完成すべき要求日をいいます。

なお、納期における生産管理とは、あらかじめ設定した納期どおりに工程が終了するかどうかが問題であって、「納期を短縮」するという観点ではないことに注意が必要です。

これも日常的な感覚では「短縮したからよいのでは?」と思ってしまいがちですが、生産管理ではあくまで「狙ったとおり」に納めたり完成させたりすることが目的なので、注意しましょう。

ひとこと

以上❷～❹をまとめて「QCD」といいます。狙ったQCDの達成が、生産管理の最重要課題です。

？ 過去問にチャレンジ！ ━━━━━━━━━━━━ 平成25年度第1問イ

管理目標Cに着目して、製品原価と原材料費との関係を調査し、製品原価に占める原材料費の低減方策を考えた。

○ 対象に対して、C（コスト）の内訳を把握し、原価低減の余地があると思われる部分（この場合は原材料費）の低減活動を行う方法として適切である。

2 設計・調達・作業

　生産活動は、①設計、②調達、③作業、の3つのプロセス（作業工程）から構成されます（広い意味の生産活動としては、前後の、受注や納品を入れることもあります）。

　作業工程は、「生産の4M」（詳しくは❸で説明しますが、原材料や機械など生産に必要な要素を指します）が必要です。また狙ったQCDを達成するためには、4Mを各作業工程において効果的・効率的に（たとえば、ムダなく、ムラなく、ムリなく）利用することが必要となります。

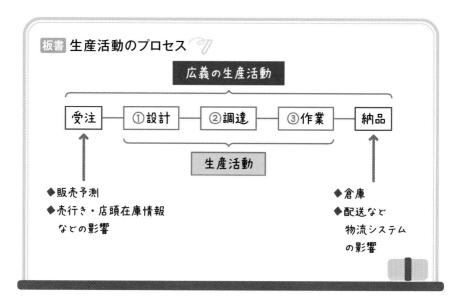

板書 生産活動のプロセス

広義の生産活動

受注 → ①設計 → ②調達 → ③作業 → 納品

生産活動

◆販売予測
◆売行き・店頭在庫情報
　などの影響

◆倉庫
◆配送など
　物流システム
　の影響

ひとこと

　2次試験においては、この5つの機能の中で、どの機能に、あるいはどの機能間に問題があるのか、つまり要求されるQCDとのギャップがあるのかを見抜くことが重要です。

3 生産の4M

　生産管理の目的は、「生産管理の基本的要素（QCD）を満たすために、生産の4Mを合理的に運用すること」です。

板書 生産の4Mの構成要素

① Man（作業者）
② Machine（機械設備）
③ Material（原材料・部品）
④ Method（作業方法）→ Money（金）とすることもある

これに Information（情報あるいは作業指示）を加え、<ruby>4M<rt>よんエム</rt></ruby> <ruby>1I<rt>いちアイ</rt></ruby> とよぶこともあります。企業経営理論では「ヒト・モノ・カネ・情報」が経営資源であると学びますが、これに準じるものです。すなわち、生産管理を行うために必要な資源なのです。

? 過去問にチャレンジ！ ——————————————— 平成28年度第14問ウ改題

　作業管理に利用される「標準作業」は、生産の構成要素である4M（Man、Machine、Material、Method）を有効に活用した作業でなければならない。

> ○ 標準作業の設定目的は、「よい品質」の製品または部品を、「より安く」「より早く」「より安定的に」生産することにある。そのためには、生産の構成要素である4Mを有効に活用した作業でなければならない。

さんエス
1 3S

3Sとは、生産の合理化における基本原則です。

板書 3S

① **S**implification （単純化）	② **S**tandardization （標準化）	③ **S**pecialization （専門化）
製品や仕事の種類を<u>減らして</u>生産を簡略化すること	単に種類を減らすだけではなく、一定の種類や方法を<u>統一して</u>標準的にすること ◆物（資材、部品、機械など）の標準化 ◆方法（作業、手続など）の標準化	機種や品種を<u>限定</u>したり、仕事を分担したりして専業化すること
↑ 生産効率を向上させられる	↑ 作業を簡単にしたり、原価を低減させたりできる	↑ 専門企業としての優位性を発揮できる

? 過去問にチャレンジ！ ─────────── 令和3年度第2問イ

　生産活動を効率的に行うため、標準化、単純化、平準化の3Sの考え方を導入した。

> ✗　3Sは生産の合理化における基本原則であり、標準化、単純化、専門化の3つを指す。

2 5S

5Sとは、「整理、整頓、清掃、清潔、しつけ（躾）」について、日本語をローマ字表記にしたときの頭文字をとったものです。それぞれの意味は次のとおりです。

板書 5S

① 整理（捨てる）：必要なものと不必要なものを区別し、不必要なものを片付けること

② 整頓（一目でわかるようにする）：必要なものを必要なときにすぐ使用できるように、決められた場所に準備しておくこと

③ 清掃（きれいにする）：必要なものに付いた異物を除去すること

④ 清潔（整理・整頓・清掃を維持する）：整理・整頓・清掃が繰り返され、汚れのない状態を維持していること

⑤ しつけ（躾：守る）：決めたことを必ず守ること

製造現場の5Sを見れば、その工場の生産性や信頼性がわかるといわれるほど5Sは重視されています。

 工場を想像しにくい場合、自分の机の上を思い浮かべると理解が進みます。まずマンガなど勉強に不要なものを片付けて、次にテキストと鉛筆をきちんと揃えて…と、イメージできますね！

過去問にチャレンジ！ ―――――――――――――― 令和元年度第17問改題

5Sを実施する手順として最初にすべきことは、「必要なものが決められた場所に置かれ、使える状態にする」ことである。

> ✕ 最初にすべきことは、「必要なものと不必要なものを区分する」こと、つまり「整理」である。設問は「整頓」の内容で、整理の後にすべきことである。

3 ECRSの原則（改善の4原則）

ECRSとは、改善の4原則のことで、工程、作業、動作を対象とした分析に対する改善の指針です。改善は、排除（Eliminate）、結合（Combine）、交換（Rearrange）、簡素化（Simplify）の順番で検討するのが一般的です。

板書 ECRS

◆E：**E**liminate（排除）…なくせないか

◆C：**C**ombine（結合）…一緒にできないか

◆R：**R**earrange（交換）…順序の変更はできないか

◆S：**S**implify（簡素化）…簡素化・単純化できないか

日本語の頭文字「な・い・じゅ・か」で覚える受験生も多いです。

過去問にチャレンジ！ ———————————— 令和2年度第21問ア

ECRSの原則とは、作業を改善する際に、より良い案を得るための指針として用いられる問いかけの頭文字をつなげたもので、最後にする問いかけはStandardizationである。

✕ Simplify（簡素化）である。

---

4 5W1H

生産管理用語を定義するJIS（日本産業規格）によると、**5W1H**は、「改善活動を行うときに用いられる、what（何を）、when（いつ）、who（だれが）、where（どこで）、why（なぜ）、how（どのようにして）による問いかけ」となっています。

「5W1Hの原則」は、Why以外の疑問詞とWhyを組み合わせて問いかけを行うことで作業改善を図る。この問いかけを合理的に行うため、「Who? Why?」の後に、「What? Why?」の問いかけを実施した。

> ✕ はじめの問いかけは、「What? Why?」である。その仕事がなぜ必要かを問いかけ、必要がなければ仕事自体をなくすことができるためである。

5 自主管理活動

自主管理活動とは、職場における問題の改善などに、従業員が自主的に取り組む活動のことです。「小集団活動」ともいい、次のQCサークル活動などがあります。

板書 **QC（Quality Control）サークル活動**

第一線の職場で働く人々が継続的に製品・サービス・仕事などの質の改善・管理を行うための小グループの活動のこと

＜QCサークルの主な特徴＞

①	活動を通じて、合理的な考え方や科学的手法・問題解決手法を習得すること
②	サークル員同士の十分な話し合いを通じて、チームワークを醸成できること
③	職場の問題を解決することにより、会社へ貢献できること

6 複数台もち作業

1人または2人以上の作業者が、複数台の機械を受けもって行う作業のことです。複数台もち作業には、主に①多工程もち作業と②多台もち作業の2種類があります。①多工程もち作業は、1人の作業者が、複数の工程を担当

します。このように複数工程を担当できる作業者を、「多能工」といいます。
一方、②多台もち作業は、ある工程で1人の作業者が複数台の機械を受けも
つ作業のことです。この場合、担当する作業者は、1つの工程しか作業でき
ない「単能工」で足ります。

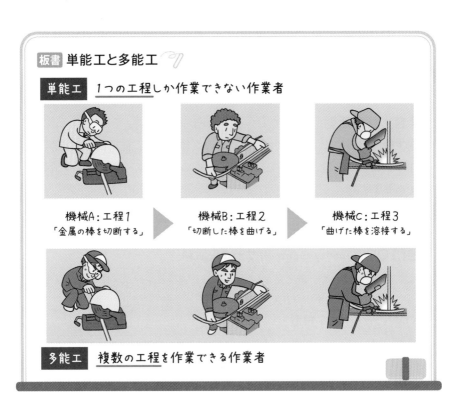

板書 単能工と多能工

単能工 *1つの工程しか作業できない作業者*

機械A：工程1
「金属の棒を切断する」

機械B：工程2
「切断した棒を曲げる」

機械C：工程3
「曲げた棒を溶接する」

多能工 複数の工程を作業できる作業者

❶ **多工程もち作業**

製品や作業の特性によっては作業領域が広くなるため、作業に習熟するた
めの期間が長く必要になる場合があります。

多工程もち作業のメリットは、作業時間が工程間で異なっても、1人で作
業していれば手待ち※が発生しないので、ムダが防止できることです。さらに
多能工化が進むため、品種や生産量の変動に柔軟に対応することができます。

用語 **手待ちとは？**

手待ちとは、作業ができる状態にもかかわらず、前工程が完了していなかったり、使用する機械が故障していたりなど何らかの原因で、作業者の手が空き、待ち状態になることです。生産効率の低下を招くムダな現象なので、手待ちは極力減らすことが望ましいとされます。

❷ 多台もち作業

　作業者の受けもち台数を多くすると作業者の稼働率は高くなりますが、機械干渉※が生じて機械の稼働率が低くなります。よって、受けもち台数を設定する際は、作業者と機械の稼働率が最も高くなるように台数を決めることになります。

 用語 **機械干渉とは？**

機械干渉とは、複数台もち作業（とくに多台もち作業）のとき、作業者がある機械の材料補給や加工品の脱着、調整などの作業を行っている間に、他の機械が停止・空転の状態になることをいいます。

【多台もち作業の例】

素材　　　　　　　　　　　　　　　　　　　　完成

作業者Aが
旋盤3台を担当

作業者Bが
フライス盤3台を担当

作業者Cが
ボール盤3台を担当

7 その他の重要な生産管理の基礎用語

　ここでは、その他の生産管理の基礎用語について、重要なものを厳選してご紹介します。参考までに、JIS（日本産業規格）の定義を確認してください。

用語	JIS（日本産業規格）の定義
①生産	生産要素である素材など低い価値の経済財を投入して、より高い価値の財に変換する行為または活動
②付加価値	製品またはサービスの価値の中で、自己の企業活動の結果として、新たに付与された価値
③改善	少人数のグループまたは個人で、経営システム全体またはその部分をつねに見直し、能力その他の諸量の向上を図る活動 ※つまり、能力や生産性を向上させるために見直しをすること ※KAIZENは国際的な用語にもなっている
④リードタイム	発注してから納入されるまでの時間、素材が準備されてから完成品になるまでの時間
⑤生産リードタイム	生産の着手時期から完了時期に至るまでの時間
⑥稼働率	人または機械における就業時間もしくは利用可能時間に対する有効稼働時間との比率
⑦遊休時間	動作可能な状態にある機械または作業者が所与の機能もしくは作業を停止している時間
⑧負荷	人または機械・設備に課せられる仕事量。負荷は時間、重量、工数などの単位で表される
⑨歩留り	投入された主原材料の量と、その主原材料から実際に産出された品物の量との比率 ※収得率または収率ともいい、次式で表される 　歩留り＝（産出された品物の量／投入された主原材料の量）×100（％）

❓ 過去問にチャレンジ！ ─────────────── 令和元年度第1問イ

　生産リードタイムは、顧客が注文してからその製品を手にするまでの時間である。

> ✕ 「生産リードタイム」は、生産の着手から完了までの時間である。
> 設問は、「リードタイム」の内容である。

3 生産形態① 受注生産と見込生産 注文と生産のタイミングによる分類!

生産形態とは、簡単にいうと「生産のやり方」のことです。ここからは、大きく3つの観点から生産形態の分類と、それぞれの特徴を説明します。生産形態によって管理のポイントが異なるので、特徴をしっかり理解しましょう。

受注生産と見込生産は、注文と生産のタイミングによる分類です。つまり、注文を受ける前に生産するか、注文を受けた後に生産するかの違いで分類します。

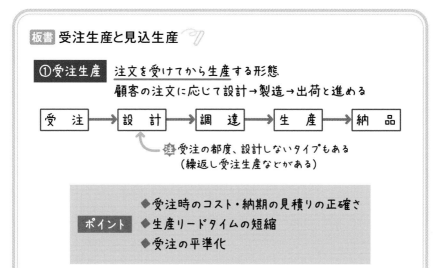

板書 受注生産と見込生産

①受注生産 注文を受けてから生産する形態
顧客の注文に応じて設計→製造→出荷と進める

受注 → 設計 → 調達 → 生産 → 納品

↑ 受注の都度、設計しないタイプもある
（繰返し受注生産などがある）

ポイント
◆受注時のコスト・納期の見積りの正確さ
◆生産リードタイムの短縮
◆受注の平準化

受注の内容には、
◆製品仕様（性能、品質、形状、色など）
◆数量
◆納期
◆納入場所
などが含まれ、多くは顧客がそのすべてまたは一部を決める

②見込生産
受注の前に生産を行い、在庫を保有して顧客の注文に応じて販売する生産形態

需要予測 ━━━▶ 生産計画 ━━━▶ 生 産 ━━━▶ 販 売

ポイント
◆需要予測の正確さ
◆柔軟な生産体制の確立

生産者が顧客の需要（ニーズ）を的確にとらえ、
◆製品の企画力および設計力の保有
◆新製品開発による市場の開拓
◆製品差別化による市場での優位性の獲得
などを進めて需要の獲得を図っていくことが重要

過去問にチャレンジ！ ━━━━━━━━━━━━━━━━━ 令和3年度第2問ア

　今までは顧客が定めた仕様の製品を生産していたが、今後は市場の需要を見越して企画・設計した製品を生産し、不特定な顧客を対象として市場に製品を出荷する受注生産への切り替えを検討した。

| ✕ | 前半は受注生産の定義だが、後半は見込生産の定義になっているため、「見込生産への切り替えを検討した」に直すと正しい内容になる。 |

4 生産形態② 個別生産・連続生産・ロット生産

仕事の流し方による分類！

仕事の流し方による分類です。つまり、生産を行うのが1個ずつか、ロット（固まり）か、連続か、による分類と考えてよいでしょう。生産効率は、個別生産が最も低く、連続生産が最も高くなります。

板書 個別生産・連続生産・ロット生産

①個別生産

個々の注文に応じて、その都度1回限りの生産を行う形態。

◆繰返し性のない生産
◆「連続生産」の対義語

・個別の受注ごとに設計を行い、標準化されていない製品を生産する
・受注する単位の多くは1単位

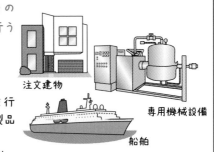

注文建物

専用機械設備

船舶

※通常、1回限りの生産であるため、コストは設計・調達・作業の各機能で適切かつ円滑な業務遂行ができるか否かによって大きく影響される
※コストを正確に見積ることができないと、受注できなかったり、逆にコストが見積価格をオーバーしたりして、赤字の発生に結びつくこともある

②連続生産

同一の製品を、一定期間続けて生産する形態。

◆「個別生産」の対義語

・標準化され、設計変更も少ない同一の製品を連続して生産するのに適している
・生産する製品が停滞なく流れ、次から次へと同じ製品が生産されていく形態

日用雑貨

加工食品

清涼飲料

<table>
<tr><td>③ロット生産</td><td>品種ごとに生産量をまとめて、複数の製品を交互に生産する形態。
◆断続生産ともいい、①個別生産と②連続生産の中間的な生産形態。</td></tr>
</table>

　ロット生産において、何個ずつ生産するか、その単位をロットサイズ（生産ロットまたはバッチ）といいます。生産する製品の切替えのたびに段取替え[※]が発生します。段取替えの間は基本的には生産できないので、できるだけ段取替えを少なくしたいところですが、段取替えを少なくすると一度に作る量が多くなり在庫が増えすぎてしまう（≒資金のムダが大きくなる）などのデメリットもあります。

> このためバランスを考えながらロットサイズを決めることが、合理化の鍵となります。

用語 ▶ **段取替えとは？**

段取替えとは、生産工程の中で発生する次の作業（工程）にかかるための準備作業などであり、生産管理上、重要な課題となっています。ロットサイズが小さくなればなるほど、段取替えの回数が増えるので、段取替え時間の短縮が重要となります。段取替えは、機械やラインを停止して行う内段取と、機械やラインを停止しないで行う外段取に大別されます。
また、機械の停止時間が10分未満の内段取のことをシングル段取といいます。小ロット化に伴う段取替え時間の短縮改善には、内段取そのものを短縮化したり、内段取を外段取化したりする方法があります。

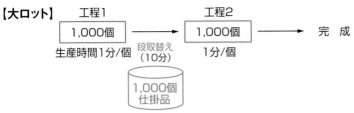

【大ロット】

工程1
1,000個
生産時間1分/個

段取替え
(10分)

1,000個
仕掛品

工程2
1,000個
1分/個

→ 完　成

1,000分＋10分＋1,000分＝2,010分

【小ロット】

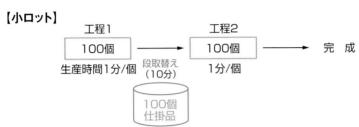

工程1
100個
生産時間1分/個

段取替え
(10分)

100個
仕掛品

工程2
100個
1分/個

→ 完　成

100分＋10分＋100分＝210分

ただし1,000個作る場合、100分×2工程×10回＋段取替え10分×19回＝2,190分
となり、同じ1,000個を作る場合の総時間は、大ロットよりも小ロットのほうが、段
取替えが多い分だけ長くなります。

過去問にチャレンジ！ ━━━━━━━━━━━━ 平成22年度第2問ウ改題

　ロット生産は、受注生産と見込生産の中間的な生産形態であり、断続生産とも
呼ばれる。

> ✕ ロット生産は、個別生産と連続生産の中間的な生産形態である。
> 「断続生産とも呼ばれる」という点は正しい。

製品種類の数と、その生産量による分類です。

多品種少量生産では、製品種類や生産量を柔軟に変更できるメリットがある半面、合理化しづらく生産効率が上げづらいというデメリットがあります。

少品種多量生産では、そのまったく逆のメリット・デメリットがありますので、対比させながら理解しましょう。

板書 多品種少量生産・少品種多量生産

①多品種少量生産　多くの品種を少量ずつ生産する形態

◆中小企業が最も多く採用している生産形態といわれており、その小回り性を活かせる形態

多品種少量生産の特徴

①製品の種類が多く、生産数量や納期が多様
②加工順序は製品によって異なることが多い
③工場内ではものの動きが複雑になり、錯綜しやすい
④受注の変動により生産設備の能力の過不足が生じる
⑤受注製品の仕様・数量・納期の変更や短納期注文の発生、購入部品の納入遅れなどが起こりやすい
⑥設備の能力計画や製造実施予定を適切に策定することが容易でない

②少品種多量生産　少ない種類の製品を大量に生産する形態

◆需要予測をもとに多量の製品需要が期待できる場合などに、徹底的に合理化を図った専用ラインなどで連続生産する方式

少品種多量生産の特徴

①製品の種類が少なく、専用ラインによる単純な加工経路をとることが多い
②作業が単純化し機械の専用化が進めやすいので、単能工や専門工で作業が行われる
③段取替えなど作業者の間接作業が少ないので、生産性が高くなる
④多品種少量生産に比べ仕掛品※が少なくすみ、生産リードタイムが短くなる

⑤作業が単調なため創意工夫を発揮しにくくなる

⑥連続作業に伴う肉体的・精神的疲労など労務面での問題が起こりやすくなる

用語 ▶ **仕掛品とは？**

 製造途中にある製品のことです。料理に例えると、完成品がカレーライスとすれば、切ったジャガイモやニンジンが仕掛品にあたります。半完成品とは違い、それ単体で販売することができません。

過去問にチャレンジ！ ─────────────── 平成30年度第2問ウ

需要変動に対応するためには、生産量の変動で対応するより完成品在庫で対応することが効果的である。

✕ 需要が安定していない製品に対して完成品在庫を保有することは、死蔵在庫（売れ残ってしまうムダな在庫）になるリスクが高まるため、正しいとはいえない。

過去問にチャレンジ！ ─────────────── 令和元年度第2問改題

生産工程における仕事の流し方の違いによって区別される用語の組み合わせとしては「受注生産と見込生産」が適切である。

✕ 「受注生産と見込生産」は〝注文と生産のタイミング〟による分類である。〝仕事の流し方〟による分類なら「個別生産、連続生産、ロット生産」の組み合わせが適切である。

店舗・販売管理

　ここからは、運営管理という科目を構成するもうひとつの領域、「店舗・販売管理」について学習します。その中でも特に頻出論点である、店舗施設の機能および店舗設計などについて学習しましょう。

1 店舗の機能 ～6つの機能を確認しよう！

　店舗がもつ主な機能としては、次の6つがあります。

板書 店舗の主な機能 📎

①訴求機能（知らしめる） 店舗の存在を知らしめる、目立たせる機能

↳☆店構え、外装、看板、店頭のデザインによって、店舗の所在や個性をアピールする

　※店頭の商品陳列や販売員による店頭販売、呼び込みなども要素のひとつ

②誘導機能（入らせる・回らせる） 店内へ顧客を誘導する機能

↳☆店頭の演出、入りやすい出入口、明るい店内などによる外から店内へ誘導する機能

　☆レイアウト、通路の工夫により店内の奥まで誘導する機能

③演出機能（魅せる） 商品の魅力を演出し、選択機能や購入促進機能などさまざまな機能を高める機能

↳☆空間デザイン、見やすい陳列、色彩、照明など視覚的な要素が中心となる（BGMなども含まれる）

④選択機能（選ばせる） 商品を選ばせる機能

↳☆選びやすさ＝触れやすさを重視した商品陳列、関連陳列の配置、什器、POPの活用などが重要な要素となる

　※商品によっては見るだけで選ぶものもあるが、多くは"手に取る""触れる"ことが商品を選ぶ際の重要な要素となる

---

⑤**購入促進機能（買わせる）**　「買いやすさ」を実現する機能

　↳☆販売方法、従業員の対応、POPなどの活用

　　※最終的には、選んだ商品を購入してもらうのが店舗の目的

⑥**情報発信機能（伝える）**　顧客に対して情報を発信する機能

　↳☆ビジュアル的な展示陳列やポスター、POP、チラシ、掲示板などの活用

ここでは、店舗の売場レイアウトの基本的な事柄と、レイアウト作成の考慮点、什器について学習します。

1 売り場レイアウト

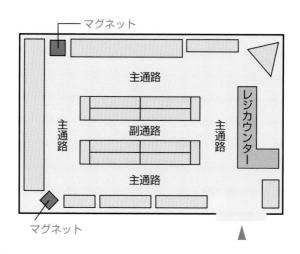

レイアウトとは、店内の陳列器具、通路、レジカウンターなどの構成・配置について、平面で計画するものです。その目的は、動線コントロールによって、売場生産性※を向上させることです。

用語 ▶ **売場生産性とは？**

売場生産性の主な指標としては、単位面積あたりの売上や利益の他に、「人時生産性」があります。

$$人時生産性 = \frac{粗利益額}{総労働時間}$$

次の2つが、動線コントロールの基本的な施策です。

❶ 客動線を長くする

　店内の回遊性を高め、来店客が多くの商品を目にするようにして購入機会を増加させ、客単価を向上させるため、客動線はできるだけ長くなるようにします。

　店内の突きあたり、曲がり角などの要所に**マグネット**（文字どおり、磁石のように顧客を引きつける売場、商品のこと）を配置することによって、店内の回遊性を高めます。たとえばコンビニエンスストアの場合は、飲料や弁当など食品を目当てとする来店客が多いため、これらの商品がマグネットとされます。

❓ 過去問にチャレンジ！ ──────── 平成30年度第29問ウ

　購買率の高いマグネット商品をレジ近くに配置することで、売場の回遊性を高めることができる。

> ✕　レジ近くの商品のみを購入して退店する顧客が増える可能性があり、客動線を短くして売場の回遊性を低下させるおそれがある。

❷ 従業員動線を短くする

　従業員動線は逆に短くして、作業効率を上げることが目標となります。

板書 動線の基本

動線コントロール

　客　動　線　：　長く　＝　客単価↑

　従業員動線　：　短く　＝　作業効率↑

　セルフサービス店舗におけるワンウェイコントロールでは、買物客の売場回遊を促し、商品との接点を増やす。

○　マグネットを利用するなどして売場回遊を促進し、多くの商品に触れる機会をつくることが、客単価の向上につながる。

2 什　器

　什器とは日常使用する家具や道具のことをいいますが、ここでの什器とは陳列用什器、つまりショーケースや陳列棚のことをいいます。

　主な陳列用什器について、説明します。

❶　陳列棚・陳列台

　商品の種類によって、棚の奥行きや棚板の間隔は変動します。棚板が可動式であることはもちろん、レイアウト変更にも対応できるよう、棚そのものも移動可能なものがよいでしょう。基本的には、最上段の棚の商品にも顧客の手が届く高さにします。

〈ゴンドラ〉

複数の棚のある陳列台で、多くの種類がある
置き場所による分類では、中置き用ゴンドラと壁面用ゴンドラがある
☆スーパーマーケット、コンビニエンスストア、衣料品店などで利用されている

〈ひな段型陳列台〉

名前のとおり、階段状になっているため、複数の商品全体を顧客に見せることができるが、その分、陳列できる商品量は少なくなる
☆小さい商品や積み重ねることが不向きな商品に利用されている

ゴンドラ陳列には、フェイスをそろえやすいというメリットがある。

○ ゴンドラ陳列とは、ゴンドラ棚に定番商品を主体に陳列し、多数のアイテムを顧客にアピールする方法である。手前に陳列されている商品を整えることが容易であるため、フェイス面（商品の正面）を揃えやすいというメリットがある。

❷ ショーウインドウ

この中に商品を展示し、店舗の外を通る人たちの注意を引きつけ、店内に誘導するために設置します。買回品※の店舗や専門店で多く利用されます。

ショーウインドウの外から店内を見ることができるかできないかという観点から、オープン型ショーウインドウとボックス型ショーウインドウがあります。

用 語 ▶ **買回品とは？**

買回品とは、たとえば趣味に使う物のように、価格や品質の比較検討のためにいくつかの店を見て回るような商品のことです。
なお、日用品のように、特別な努力をせず頻繁に購入する商品のことを最寄品といいます。

〈オープン型ショーウインドウ〉

ショーウインドウのウインドウバック（後ろ側の壁）がないタイプ
☆店内が見えるため、誘導効果が期待できる
☆ウインドウ内だけでなく、店外から見える店内のことも配慮することがポイント

〈ボックス型ショーウインドウ〉

ショーウインドウの内部が壁面になっていて、ウインドウを通して店内が見えないタイプ
☆オープン型に比べ視線を集めやすく、いわゆるウインドウショッピング※に向いている
☆ウインドウをライトアップすれば、閉店後でも店舗訴求や演出などの効果が期待できる

用語 ▶ **ウインドウショッピングとは？**

 見て楽しむだけなので、その時点では売上になりませんが、将来の購買に結びつくことが期待できます。自分の経験をふり返ってみれば、思い当たることがあるはずです。

❸ ステージ

　床より一段高い場所に商品を陳列することによって、重点商品のアピールを行うために設置します。衣料品、家具、電気器具などの売場で多く利用されます。商品の大きさに合わせて、ステージの高さを変えます。大型の商品ではステージは低め（20cm程度）、衣料品などでは高め（70〜90cm）です。

〈置きステージ〉

壁面に設置するタイプで、多くの場合、固定して利用する

〈アイランド・ステージ〉

店内の中央部で顧客の視線を集めやすい場所に設置する
☆置きステージに比べると一般的に小型で、固定しない

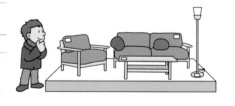

❹ ショーケース

　通常はガラスケースで、高さが低いものは、商品の陳列のほか、接客用のカウンターにも利用できます。また冷蔵・冷凍ケースなどは、陳列と同時に在庫（保管）機能ももっています。

　ショーケースの分類と主なショーケースの名称は、次のとおりです。

〈クローズドケース〉

正面（前面）も含めてガラスで囲まれているタイプ

☆顧客は自由に商品に触れることができないが、高級感の演出や、商品の保護には有効

〈オープンケース〉

正面（前面）にはガラスがなく、空いているタイプ

☆顧客は商品を容易に手に取ることができる

〈リーチインケース〉

前面にガラス扉のついた冷蔵・冷凍庫

☆商品の補充も前面の扉を開けて行う

☆コンビニエンスストアで冷凍食品などに使われている

☆リーチインクーラーともいう

〈ウォークインケース〉

顧客から見れば、リーチインケースと変わらないが、ケースの後ろがそのまま大きな冷蔵庫になっているタイプ

☆清涼飲料やビールなどを箱ごと、ケースごと冷やしておくことができる

☆店員がこのケース内に入り（ウォークイン）裏側から商品を補充するので、先入先出（先に入れたものから先に売れていくようにすること）が容易になる

☆スペース効率とエネルギー効率が低いという欠点がある

3　照　明

　ここでは、店舗の演出上、特に重要な要素のひとつである照明について、基礎的な内容を学習します。

1 照明の役割

店舗における照明の主な役割は次のとおりです。

板書 照明の主な役割

①店舗と商品を目立たせる

店を明るくすることで目立たせ、店内への誘導を図る

　↳☆商品が見やすいように十分な明るさを確保することも重要

②店舗や商品のイメージを演出する

照明により店舗、商品を演出する

　↳☆光源（蛍光灯、白熱灯）の違いや、照明方法によって、顧客に与えるイメージは大きく変化する

③顧客を誘導する

店内での照明の配置、調節により、回遊性を高めることもできる

　↳☆具体的には、店の奥に明るい場所をつくったり、要所要所に明かりのポイントを設けたりするという手法がある

---

2 照明の基本的用語（単位）

照明に関連する用語をいくつか説明します。

①光束 （ルーメン：lm）	単位時間あたりの空間に、光源から放射される光の量のこと ☆この値によって光源から発するエネルギー量の目安としたり、光源の性能を表す目安としたり、輝度や照度などを計算する場合の単位にしたりする
②光度 （カンデラ：cd）	光源からある方向へ向かう光の強さのこと ☆1カンデラは、1 lm/sr（立体角1 sr［ステラジアン］に放射される1 lm［ルーメン］の光束）と定義されている
③照度 （ルクス：lx）	光を受ける面の明るさのこと ☆単位面積あたりにどれだけの光が到達しているのかを表す
④輝度 （スチルブ：sb）	ある方向から見たものの輝きの強さのこと ☆照度が単位面積あたりにどれだけの光が到達しているのかを表すのに対し、輝度はその光があたっている平面光源をある方向から見たときどれだけ明るく見えるかを表す

【照明用語のイメージ】

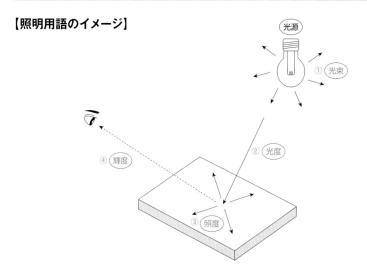

3 照明方法

　照明の方法には、次のようなものがあります。

〈直接照明〉

光源からの光を対象物に直接あてる方法
☆ほかの方向へは遮断するため、最も照明効率が高くなる

〈半直接照明〉

主に対象物に直接光をあてるのに加え、透過性のあるカバーを通して光が上にももれるようにし、ある程度まわりも明るくする方法
☆やわらかい雰囲気を作り出すことができる

〈半間接照明〉

半直接照明とは逆に、対象物へカバー越しに光をあてる方法
☆照度は落ちるが、いっそうソフトな雰囲気を作り出すことができる

〈間接照明〉

光を通さないカバーに光源を入れ、壁や天井などにいったん反射させた光で照明する方法
☆照明効率は悪いが、高級感やソフトなイメージを演出するのに適している

〈全般拡散照明〉

光を全方位に拡散させる方法
☆広範囲をカバーすることができる

4 演色性
えんしょくせい

　演色性とは、ものの色の見え方を表す光源の性質を指します。光源に照らされたものの色の見え方を数量化して評価できるようにした指標に、平均演色評価数（アールエイ：Ra）があります。Raは100が最大で、原則として数値が大きいほど演色性がよいとされます（ものそのものの色として見える）。店舗の売り場や、学校、細かい作業をする工場、色の判断を必要とする職場などでは、Ra80以上が適正とされます。

❓ 過去問にチャレンジ！ ────────────── 令和3年度第26問改題

　自然光や人工照明で照らされた場所の明るさを　A　という。JISでは、スーパーマーケットにおける店内全般の維持　A　の推奨値は　B　ルクスである。また、光で照明された物体の色の見え方を　C　という。

　A　照度　　B　**500**　　C　**演色**

なお、本試験問題では、Bの選択肢として500と2,000が与えられていた。数値のみで判断することは多くの受験生にとって難しいが、AとCを覚えていればBを検討せずとも正答できた。

4 販売流通情報システム

最頻出論点、のひとつ情報システム！

ここでは、スーパーやコンビニでも見かけるPOSシステムや、その活用に不可欠なバーコードについて学習します。

1 POSシステム

ボス

❶ POSシステムとは

POSとはPoint of Salesの略で、**POSシステム**は「販売時点での情報管理」を行うシステムです。その最大の特徴は、商品1つひとつについて、いつ、いくらで、いくつ売れたかというデータをリアルタイムに把握できることです。

POSシステムが備わっているレジのことをPOSレジ（POSレジスタ）といい、コンビニなどの店頭で日常的に見かけることができます。

【POSレジの例】

❷ ID-POSデータのプロモーションへの活用

多くの小売店がポイントカードやポイントアプリなどを発行し、1人ひとりの顧客情報を取得するようつとめています。このように顧客IDが紐づいたPOSデータを、**ID-POSデータ**といいます。

①顧客セグメント分析

ID-POSデータをもとに顧客を一定の基準のもと、複数のセグメント（顧客層）に分けて分析する手法を、**顧客セグメント分析**といいます。この分析を

通じて、たとえば優良顧客に手厚くプロモーションを行うことなどのアクションにつなげます。

　顧客をセグメントする手法としては、代表的なものに「**RFM分析**」があります。「**RFM分析**」では、顧客を①Recency（直近購買日）、②Frequency（購買頻度）、③Monetary（一定期間の購買金額）の組み合わせで得点化し、ランク分けします。たとえば、直近、かつ頻繁に来店し、さらに購買金額が大きい顧客の層を、「優良顧客」セグメントとみなします。

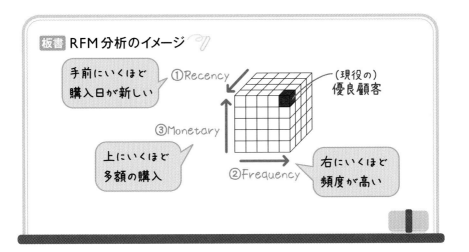

②ショッピングバスケット分析（併買分析）

　顧客が「何と何をいっしょに買ったか（カゴ＝バスケットに入れたか）」を、顧客が受け取るレシート単位で分析する手法です。商品の陳列場所や位置のデータとも併せて分析することで、併買される度合いの高い商品を見つけることができます。

　古典的な分析事例として、「紙オムツとビール」があります。一般的には一緒に買われなさそうな商品ですが、ショッピングバスケット分析で発見され、詳しく調査したところ、赤ちゃんがいる家庭の父親が、母親に頼まれて

買いに来たオムツをカゴに入れたついでに、自分用にビールを買っていたことが判明しました。そこでこれら2つの商品を並べて陳列したところ、売上が向上したという事例です。このように分析を通じて、商品の関連陳列やセット販売などを促し、客単価の増大を目指すことができます。

2 バーコード

　バーコードとは、数字、文字、記号などでできた「コード」を、太さの異なるバーとスペースの組み合わせである「バーコードシンボル」で表現するものです。バーコードスキャナなどの機器を用いて読み取ります。代表的なバーコードに、JANコードがあります。

❶ JANコード

　JANコードは、国際的にはEAN（European Article Number）コードとよばれ、アメリカなどにおけるUPC（Universal Product Code）と互換性のある国際的な共通商品コードです。JANコードには、13桁の標準タイプと、印字面が限られる小さな商品などに特別に認められる8桁の短縮タイプの2つがあります。

　なおJANコードの最初の2桁は国コードで、「49」と「45」が日本の国コ

ードとなっています。ただし、この国コードは「原産国」を表しているわけではありません。JANコードは、商品の発売元など供給責任者がどこの企業か、また該当する企業の何の商品かを識別するためのものです。したがって最初の2桁が「49」や「45」だからといって、その商品の原産国が日本とは限りません。

？ 過去問にチャレンジ！ ─────────── 平成25年度第38問ア

実際の製造が海外で行われる商品であっても、日本の企業のブランドで販売される場合は、日本の国コードが用いられる。

> ○ 国コードは、その商品の供給責任者（ブランドオーナー／発売元／製造元）がどの国に属しているかを示すもので、その商品の原産国を示すものではない。

---

❷ ソースマーキングとインストアマーキング

①ソースマーキング

　ソースマーキングとは、商品の製造元や販売元が、商品の製造段階で、JANコードを商品の包装や容器に印刷することを指します。日本では、コンビニエンスストアの影響力が増すにつれて、急速にソースマーキング率が上がったといわれています。今では小売店に置いてある商品のほとんどに、JANコードがソースマーキングされているのを見つけることができます。

②インストアマーキング

　インストアマーキングとは、店内で印刷した独自のバーコードラベルを作成し、商品に貼ることを指します。たとえば生鮮食品などは、店内で包装したり、同じ商品でも分量などによって価格が異なっていたりするため、店内でバーコードを印刷した独自のラベルを作成し、商品に貼ります。

今度、スーパーやコンビニで買い物をしたら、バーコードをじっくり見てみましょう！

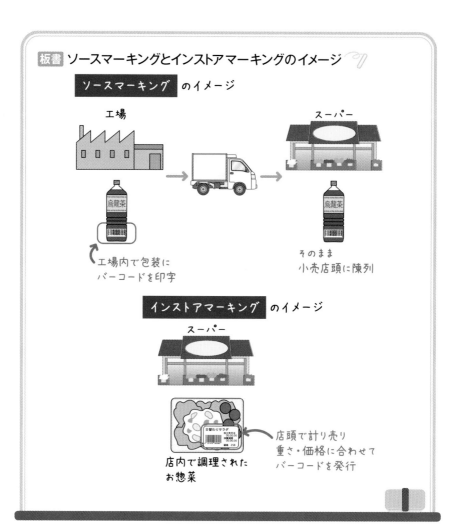

板書 ソースマーキングとインストアマーキングのイメージ

ソースマーキング のイメージ

工場

スーパー

工場内で包装に
バーコードを印字

そのまま
小売店頭に陳列

インストアマーキング のイメージ

スーパー

店内で調理された
お惣菜

店頭で計り売り
重さ・価格に合わせて
バーコードを発行

「ガラスの未来を拓く：小さな工場の大きな挑戦」

　ある小さなガラス製品製造会社は医療関係の製品で成功を収め、年商3億円を誇っていた。しかし、近年、医療業界ではガラス製からプラスチック製への移行がすすんでいた。

　3年前に先代から経営を引き継いだ美咲は、新たな課題に立ち向かうため、日夜努力を重ねていた。しかし、職人肌の従業員が多いこの会社では、「技術を知らない人が何を言うのか」と陰口を言われることも少なくはなかった。

　ある日、中小企業診断士が訪れ、いくつかの助言をした。

　まず、作業マニュアルの整備が必要だと指摘された。誰でも同じように作業ができ、品質のばらつきを減らせるのだ。また、作業の標準時間を設定し、効率を上げることも提案された。

　さらに、品質評価方法の設定と品質保証部の設置を勧められた。製品の品質を確保し、信頼性を高めることができるそうだ。ISOなどの認証取得も推奨され、体系だった業務運営を確立することで、取引先や顧客からの信頼も向上させることができるらしい。

　製造工程にはECRSの原則（排除、結合、交換、簡素化）を適用し、業務改善を図ることも提案された。無駄な工程を排除し、作業を結合させ、必要に応じて交換し、全体を簡素化することで、効率が劇的に向上する可能性があるという。

　美咲はこれらの提案に感銘を受け、即座に実行に移した。最初は反発もあったが、美咲の熱意と努力に心を動かされ、次第に従業員たちも協力的になった。

　その結果、工場内の作業効率は大幅に向上し、製品の品質も向上した。美咲のリーダーシップと従業員たちの技術力が融合し、新たな挑戦に立ち向かう準備が整った。

　会社は再び成長を遂げ、美咲は従業員たちとともに、明るい未来を見据えて歩み続けている。

(F)

第5章
経営法務

診断士試験で経営法務について学習するのはなぜ?

　経営法務では企業活動に関するさまざまな法律を学習します。経営法務の学習目的は2つあります。

〈経営法務の学習目的〉

① 企業経営にかかわる体系的な法律知識を身につける

　企業が活動していき、また新規事業を立ち上げる際、さまざまな法律とかかわります。企業と法律のかかわりを知ることは、あらゆるビジネスパーソンに必要なスキルとなります。経営法務では、ビジネスパーソンとして知っておかなければならない、企業経営に関する法律知識を学習します。

② 中小企業診断士のスキルとして必要な法律知識を身につける

　中小企業診断士は、支援先企業が法律分野での課題に直面したとき、弁護士、弁理士、司法書士等の法律専門家への橋渡しとしての役割も期待されます。経営法務ではこういったシーンで必要になる基礎的な法律を学習します。

専門家との橋渡し役

経営者　　　診断士　　　弁護士
　　　　　　　　　　　　　　など

〈経営法務で学ぶ領域〉

① 企業の「強み」を保護する法律知識（知的財産権）

　企業は、市場で生き残るために、さまざまな「強み」を獲得すべく日々試行錯誤しています。たとえば、ヒット商品を生み出す「技術力」、ユニークな商品にするための「デザイン」、そして企業のブランドの認知を得るための会社の「マーク」等があります。特に中小企業にとってはこれらの活動は大きな資産にもなります。本領域では、これらの企業の保有する強みである知的財産権について学習します。

② 企業の事業開始から成長していく過程での法律知識（会社法等）

　会社は、事業の開始、企業の成長、そして時には企業の再生・事業の終了と変遷していきます。これらの各シーンにおいても法律知識は密接に関係します。事業の開始にあたっては、会社の根本原則である「定款」作成に始まり、会社を運営していくうえで必須になる取締役等の「機関設計」が必要です。そして、外部環境の変化等により会社の形態を変えていく「組織再編」を行うこともあります。また経営

活動を継続することが困難になり、「倒産」してしまうこともあります。本領域では、これらの会社運営に関する基本的な知識を学習します。

③ **日常のビジネスシーンで活用する法律知識（民法等）**

ビジネスと密接に関連する「民法」に関する知識を学習します。企業間でのビジネスを開始するときに必要な「契約」の基礎知識、契約不履行に備えての「保証契約」等は、中小企業診断士の活動において必要な知識であることはいうまでもありませんが、日常生活シーンにおいても身近な知識になります。

④ **企業活動における、その他の法律知識**

会社は、事業規模を拡大し利益を上げることは重要です。ただし、守らないといけないルールもあります。市場等の独占や、不正・不公正な取引についての規制を守ることが必要です。独占禁止法ではこれらの規制が規定されています。

また、会社の事業規模が拡大し、グローバル化進展のなかで海外市場へ進出することもあります。国際取引においては独特のルールが設けられており、国際取引の基礎知識が必要になります。

本領域では、企業活動により会社が成長していく過程で必要になる、その他の法律知識を学習します。

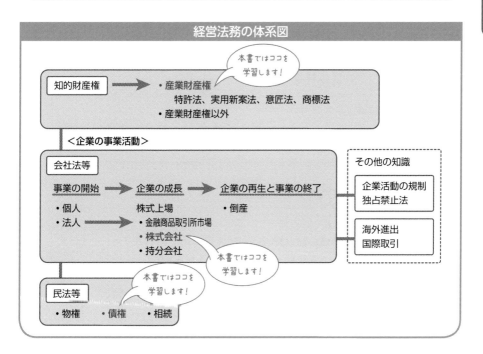

経営法務の体系図

知的財産権

ここでは、企業の生み出したアイデアやデザイン等に関する知的財産権を学習します。知的財産権はいくつかに分類されますが、それぞれの目的、保護範囲、要件、手続き、効力、制限を学習します。

1 知的財産権　　　　　発明やアイデアを守るための権利!

　知的財産権とは、特許権、実用新案権、意匠権、著作権、商標権その他の知的財産に関して法令により定められた権利または法律上保護される利益に係る権利をいいます。事業活動の周りには数多くの「知的財産」が存在しビジネスに密接にかかわっています。

　特許権、実用新案権、意匠権および商標権を総称して産業財産権といいます。本書では知的財産権のうちの産業財産権について学習します。

板書 知的財産の種類 ✐

①特許 ⟶ 保護対象 発明

> 発明とは?
> いままでに存在しなかった器具や機械、また技術や方法などを新しく生み出すこと

②実用新案 ⟶ 保護対象 考案

> 考案とは?
> 物品の形や構造、またはそれらの組み合わせによって生まれたアイデア
> ☆発明と比較して高度ではない「小発明」も対象となる

---

③意匠 ⟶ 保護対象 意匠

意匠とは？
形や色、模様やそれらの組み合わせ、建築物の形状、画像などによって視覚的に美感を起こさせる外観をもつもの、つまり「デザイン」のこと

④商標 ⟶ 保護対象 商標

商標とは？
商品名やサービスの名称などをいい、消費者に伝達するためにつけられた標識のこと
☆商品やその包装などに付し継続して使用することで、商標自体に業務上の信用力が向上する
☆商品・サービスのブランド力が強化され、財産的価値が備わるようになる

⑤著作 ⟶ 保護対象 著作物

著作物とは？
絵画や彫刻、写真といった美術、芸術のほか、詩や小説、戯曲、論文という文芸、学術といったもの、また音楽や建築、映画など、人がもつ思想または感情などから生まれた創作物

【産業財産権の例】

特許権：発明
車のエンジンの製造技術

意匠権：デザイン
車のデザインを保護

商標権：マーク
車に使用するマークを保護

実用新案権：考案
開け閉めしやすいドアの形状

2 特許法

特許法は、発明に関する法律です。

1 発明とは

発明とは、自然法則を利用した技術的思想の創作のうち高度のものと定義されています。

「発明」に該当しないもの

・自然法則でない人為的取決め	商売方法、経済法則、勉強方法など
・自然法則自体	万有引力の法則、エネルギー保存の法則など
・いわゆる技能	野球の変化球の投げ方、プロレスの技など
・技術的思想でない単なる情報の提示	デジタルカメラで撮影されたデータなど
・美的創作物	絵画、彫刻など
・天然物の単なる発見など	鉱石・自然現象の単なる発見など

2 特許要件

特許権を取得するには、発明が、①産業上の利用可能性、②新規性、③進歩性、④先願の発明であることが必要です。

板書 **特許権の登録要件**

①産業上の利用可能性があること

↳当該発明が産業上利用できること

☆産業に利用できないもの

◆個人的にのみ利用される発明（喫煙方法など）

◆学術的、実験的にのみ利用される発明

◆理論的には可能でも、現実的には実現できないもの

②新規性があること

↳発明がまだ社会に知られていないこと

☆新規性がないもの

◆公然と知られた（＝公知）発明（テレビでの放映など）

◆公然と実施された（＝公用）発明（店頭での販売、製造工程の不特定者見学など）

◆頒布された刊行物に記載されたり、インターネットなどを通じて公衆に利用可能となった発明

③進歩性があること

↳当該発明の属する技術者分野における通常の知識を有する者が、結果を容易に予測できる場合には、進歩性がないものとして、特許を受けることができない

☆進歩性が認められないもの

◆公知の技術を寄せ集めただけのもの

◆他の技術へ転用したにすぎないものなど

④先願の発明であること

↳同一の発明について複数の出願がされた場合、我が国では先願主義※が採用されている

用語 先願主義とは？

 先願主義とは、複数の出願のうち最初に出願した者に特許権を付与する考え方です。

3 特許権の活用・ライセンス

特許権等の産業財産権は実施・譲渡（移転）だけではなく、他人にライセンスを与えることでロイヤリティを得ることができます。他人に特許発明を利用させる権利を実施権といい、専用実施権と通常実施権の2つがあります。

①専用実施権	設定した範囲（期間・地域・実施範囲）において、その特許発明を独占排他的に利用できる権利 ※特許権者であっても、専用実施権を設定した範囲において実施することはできない
②通常実施権	実施許諾契約で定めた範囲内で特許発明を実施できる権利 ※独占排他性がなく、特許権者は許諾した範囲内特許発明を自らも実施することができる

過去問にチャレンジ！ ——————————————— 平成25年度第8問ア

　特許権者Aが保有する特許権について、Bに専用実施権の設定の登録がなされた。この場合、当該設定行為で定めた範囲内において、特許権者Aと専用実施権者Bとは、当該特許発明の実施をする権利を共有する。

> ✕ 専用実施権者は設定した範囲において、その特許発明を独占排他的に利用できる権利である。したがって、専用実施権が設定されると、その設定行為で定めた範囲内では、特許権者といえども特許発明を実施することはできない。

4 特許権の存続期間

　特許権は、登録により発生し、**出願日**から**20年**存続します（一定の場合延長可能）。

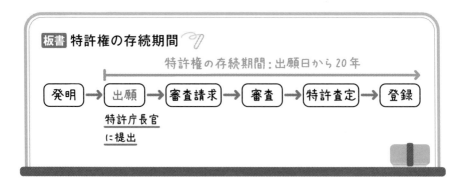

板書 特許権の存続期間

特許権の存続期間：出願日から20年

発明 → 出願 → 審査請求 → 審査 → 特許査定 → 登録

特許庁長官
に提出

3 実用新案法

実用新案法は、考案に関する法律です。

1 考案とは

考案とは、自然法則を利用した技術的思想の創作と定義されています。特許法の「発明」とは異なり、高度である必要はなく、実用新案制度はそこまで高度ではない小発明も対象になります。

> 考案は物品の形状・構造・組み合わせに限られているので、方法、組成物、化学構造、液体・粒などの一定形状を有さないもの、動物・植物品種、プログラムなどは保護の対象にはなりません。

2 実用新案権の特徴

実用新案権には、次の特徴があります。

板書 実用新案権の特徴

①登録要件

↳実用新案権を取得するには、考案が、産業上の利用可能性、新規性、進歩性、先願の考案である必要がある

②無審査主義

↳方式審査（手続き的・形式的要件の審査）と基礎的要件の審査（考案が物品の形状・構造・組み合わせに係るものかなどの審査）が行われるだけで登録される

☆原則として、出願があったときは登録され、その内容が実用新案公報に掲載される

---

③実用新案技術評価書

↳考案の客観的な評価として「実用新案技術評価書」を用いる

☆実用新案権を行使する場合には、権利者は実用新案技術評価書を提示し警告することが必要

☆実用新案権は無審査主義なので、当該考案の有効性が判断できないため

※実用新案技術評価書：出願された考案の新規性、進歩性などについて特許庁の審査官が評価し、実用新案権の有効性の判断を示した書類のこと

④存続期間

↳実用新案権は登録により発生し、出願日から10年存続する

4 意匠法

デザインについての法律！

意匠法は、物品あるいは物品の部分の意匠（デザイン）に関する法律です。

1 意匠とは

意匠とは、物品（物品の部分を含む）の形状、模様もしくは色彩もしくはこれらの結合（＝「形状等」という）、建築物（建築物の部分を含む）の形状等または画像であって、視覚を通じて美感を起こさせるものと定義されています。

2 意匠権の特徴

❶ 登録要件

意匠を登録するためには、①工業上の利用可能性、②新規性、③創作性を備えていることなどが必要です。

板書 意匠権の登録要件

①「工業上」の利用可能性があること

↳農業、商業などは含まれない

　　　　　　　　　　　　　　　注 特許、実用新案の「産業上」とは違う

②新規性があること

③創作性があること

↳意匠登録出願前に、国内外の周知のモチーフに基づいて当業者（デザイナー）が容易に創作できないこと

　　　　　　　　　　　注 特許、実用新案の「進歩性」とは違う

第5章 経営法務

225

❷ 意匠権の効力

意匠権者は、原則として、意匠登録を受けた意匠およびこれに類似する意匠を独占的に実施することができます。特許権、実用新案権と異なり、意匠権は登録意匠に類似する意匠にまで効力が及びます。

❸ 意匠権の存続期間

意匠権は登録によって発生し、出願日から25年存続します。

3 意匠権に関する制度

意匠権には、他の産業財産権にはない特殊な制度があります。

❶ 部分意匠制度

部分意匠制度とは、物品の全体から物理的に切り離せない部分に関する意匠について意匠登録を受けることができる制度です。物品の全体ではなくその一部分のみを意匠登録の対象とします。

【部分意匠の例：ドアノブ】

❷ 組物意匠制度

組物意匠制度とは、同時に使用される2以上の物品であって、経済産業省令で定められた構成物品に係る意匠で、組物全体として統一感があるものを一意匠として出願し、意匠登録を受けることができる制度です。

たとえば一組のコーヒーセットのように、同時に使用される2以上の物品を組み合わせた全体として統一性のあるものが対象になります。

【組物意匠の例：フォーク、ナイフ、スプーンのセット】

❸ 関連意匠制度

　関連意匠制度とは、意匠（本意匠）に類似する意匠（関連意匠）について意匠登録を受けることができる制度です。1つのデザインコンセプトから創作されたバリエーションの意匠について、同一出願人（創作者が異なっていても出願人が同一であればよい）について、本意匠と関連意匠のいずれにも意匠登録を認める制度です。

【関連意匠の例】

本意匠　　　　　　関連意匠

❹ 秘密意匠制度

　秘密意匠制度とは、設定登録日から3年を限度として意匠を秘密にすることを認める制度です。通常、出願意匠が登録されると、意匠公報により当該意匠が公開されます。そこで、秘密意匠制度を利用することによって模倣されるリスクを防ぐことができます。

5 商標法 — 名称やマークについての法律！

商標法は、商標に関する法律です。

1 商標とは

商標とは、人の知覚（視覚および聴覚）によって認識することができるもののうち、文字、図形、記号、立体的形状もしくは色彩またはこれらの結合、音その他政令で定めるもの（＝標章）であって、業として商品を生産し、証明し、または譲渡する者がその商品について使用するもの、または業として役務を提供し、または証明する者がその役務について使用するものと定義されています。

つまり、商品やサービスの名称やマークなどのことです。

2 商標権の特徴

❶ 登録要件

商標登録するためには、ある事業者の商品・役務を他の事業者の商品・役務と識別する「自他商品・役務識別力」をもつことが必要になります。たとえば、その商品・役務の普通名称を普通に用いられる方法で表示する標章（時計に対して「時計」など）、ありふれた氏または名称を普通に用いられる方法で表示する標章のみからなる商標（「伊藤」「鈴木」など）、きわめて簡単で、ありふれた標章のみからなる商標（「１」「ＡＢ」「×○」など）などは、原則としては認められません。

❷ 禁止権

商標権者は禁止権という排他的権利をもちます。禁止権とは、自身が独占的に使用できる権利ではありませんが、登録商標に係る指定商品・役務において類似する範囲内で、他者の使用を禁止できる権利のことをいいます。

【商標権の効力が及ぶ範囲】

		登録商標		
		同一	類似	非類似
指定商品・役務	同一	○（使用権）	○（禁止権）	×
	類似	○（禁止権）	○（禁止権）	×
	非類似	×	×	×

※　×印には商標権の効力は及ばない。

❸　商標権の存続期間

　商標権は登録によって発生し、設定の**登録の日**から**10年**存続します。また、更新申請を行い更新登録を受ければ、何回でも更新することができます。

3　商標権に関する制度

❶　不使用取消審判

　継続して**3年以上日本国内**において使用されていない登録商標の取消しの審判を請求できる制度のことです。いつでも、誰でも請求できます。

❷　地域団体商標登録制度

　地域名と商品名からなる商標（地名入り商標）について、早期の団体商標登録を受けることができる制度で、地域ブランドの保護を目的としています。単なる地域名と商品名からなる商標は、商標権の登録要件を欠き原則では登録することができません。しかし、この制度により、**「地域名」**と**「商品・役務の名称」**からなる商標で一定の範囲で**周知になったものを保護する**ことができます（例：有田みかん、松阪牛、博多人形など）。

板書 知的財産制度のまとめ

特許権	実用新案権	意匠権	商標権
発明	考案	意匠	商標
自然法則を利用した技術的思想の創作のうち高度のもの	自然法則を利用した技術的思想の創作で、物品の形状・構造・組み合わせに関するもの	物品（物品の部分を含む）の形状、模様もしくは色彩もしくはこれらの結合（＝「形状等」という）、建築物（建築物の部分を含む）の形状等または画像であって、視覚を通じて美感を起こさせるもの	文字、図形、記号、立体的形状、色彩、音などで、事業者が「商品」や「サービス」について利用するもの
■保護期間 出願日から20年	■保護期間 出願日から10年	■保護期間 出願日から25年	■保護期間 登録日から10年

過去問にチャレンジ！ ———————————— 平成26年度第9問ア

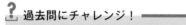

　継続して2年間、日本国内において商標権者、専用使用権者又は通常使用権者のいずれもが各指定商品又は役務についての登録商標の使用をしていないときは、その指定商品又は役務に係る商標登録を取り消すことについて審判を請求することができる。

✕	不使用取消審判は、継続して「3年」以上、日本国内で使用されていない登録商標が対象である。

会社法等

　ここでは、会社の組織や運営などについて定められている知識を学習します。事業開始（各種届出）、会社の設立（手続き、機関等）、そして市場競争に打ち勝つために行われるＭ＆Ａ等（組織再編等）の知識について学習します。

1 事業の開始に関する基礎知識
事業形態、事業開始の手続き等を確認しよう！

　企業には、個人事業、株式会社、組合などの形態があります。その内容や特徴、設立手続などはそれぞれ異なります。

1 個人事業と法人

　起業にあたっては、個人事業と法人のどちらかを選ぶことになります。それぞれにメリット・デメリットがあり、置かれている環境により選択する必要があります。

板書 個人事業と法人 📝

	設立手続	税率面	信用力 資金調達等
個人事業	◎ 手続きが容易	△ 所得が多いほど税率面で不利	△
法人	△ 手間がかかる	◎ 税率面で有利	◎

---

2 事業の開始に関する各種届出

　個人事業、法人企業にかかわらず、事業を開始するには税務署などにさまざまな書類を提出しなければなりません。

板書 事業開始に関する届出 🖋

	届出書	労働保険	社会保険
個人事業	開業から1か月以内に税務署に開業届を提出	従業員1人でも使用すれば成立	従業員5人を雇用すれば成立
法人	設立から2か月以内に税務署に法人設立届出書を提出	10日以内に保険関係成立届出等を提出	従業員1人を雇用すれば成立

2 株式会社の設立

株式会社の出資者は間接有限責任！

診断士試験において重要な会社は**株式会社**です。株式会社の法的な特徴・制度などはしっかり理解する必要があります。

1 全出資者の間接有限責任

会社債務について、出資者が会社債権者に対して直接弁済する義務を負うことを**直接責任**、会社債権者に対して直接弁済する義務を負わないことを**間接責任**といいます。

また、会社債権者に対して、個人財産まで含めて負債総額の全額の責任を負うことを**無限責任**、出資義務を超えて責任を負わない（出資額が限度）場合を**有限責任**といいます。

株式会社の出資者責任は、全員**間接有限責任**になります。

板書 間接有限責任

全員間接有限責任であることによって、出資に対するリスクが軽減され、多数の出資者からの資本調達が可能となる

2 会社の設立

　株式会社を設立するには、規定の手続きに沿って進める必要があります。まず、会社組織の根本規則である**定款**※の作成から始めます。その後、会社財産の確保をするために、**株式の引受け・出資の履行**、そして、会社運営に必要な設立時役員等を選任し、**機関の設計**を行います。最後に、**設立登記**を経て完了します。

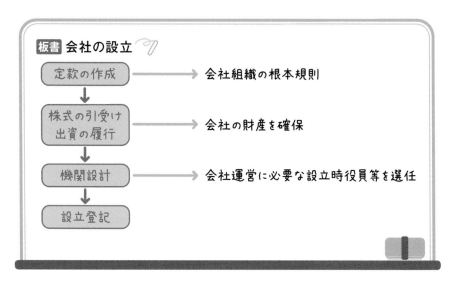

用語 定款とは？

　定款とは、会社（株式会社、合名会社、合資会社、合同会社）の根本規則のことであり、会社の憲法といえます。

3 会社運営機関の設置

　会社が法律行為を行うための**機関**が必要となります。株式会社の機関には、次のものがあります。

　①株主総会、②取締役、③取締役会、④監査役、⑤監査役会、⑥会計監査人、⑦会計参与　など

　機関については、**3** ■で説明します。

　会社法が規定している**絶対的必要機関**（すべての株式会社に必ず設置しなければいけない機関）は株主総会と取締役のみです。また、株式会社は、定款に定めることで取締役会、監査役、監査役会、会計監査人、会計参与などを任意に設置できます。なお、取締役、監査役、会計参与を総称して役員といいます。

1 株主総会

　すべての株式会社において設置される**絶対的必要機関**です。株式会社の実質的所有者である株主によって構成される機関であり、株式会社の組織・運営・管理その他株式会社に関する一切の事項について決議することのできる最高意思決定機関です。

板書 株主総会

①株主総会の種類

　◆定時株主総会：開催時期に応じて、**毎事業年度終了後一定の時期に招集が義務づけられる**

　◆臨時株主総会：**必要がある場合に随時招集することができる**

②株主総会の招集

　◆原則として**取締役が行う**

③株主総会の決議

　◆原則として**多数決によって行われる**

　◆株主の議決権は原則として**1株1議決権**

　◆**普通決議**（通常決議）・**特別決議**・**特殊決議**に分類される

　　　　　　　　※要件は決議事項（議案）によって異なる

---

④株主総会の議事録

◆当該総会の日から10年間、本店に備え置かなければならない

◆議事録の写しを、当該総会の日から原則として 5 年間、支店に備え置かなければならない

2 取締役

取締役とは、会社の業務執行を行う機関です。取締役はすべての株式会社において設置される絶対的必要機関です。取締役の員数は原則として１人以上必要です。取締役の任期は、原則として選任後２年以内に終了する事業年度のうち最終のものに関する定時株主総会の終結の時までです。取締役には、❶善管注意義務・忠実義務、❷競業避止義務、❸利益相反取引規制、❹株式会社に対する損害賠償責任などがあります。

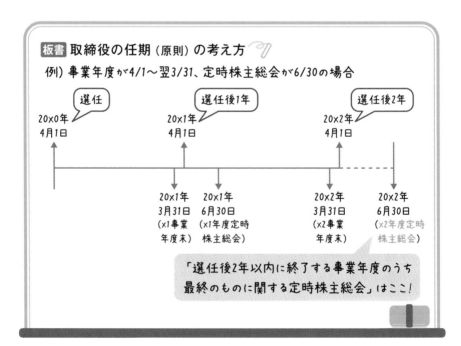

板書 取締役の任期（原則）の考え方

例）事業年度が4/1〜翌3/31、定時株主総会が6/30の場合

選任
20x0年
4月1日

選任後1年
20x1年
4月1日

選任後2年
20x2年
4月1日

20x1年
3月31日
（x1事業
年度末）

20x1年
6月30日
（x1年度定時
株主総会）

20x2年
3月31日
（x2事業
年度末）

20x2年
6月30日
（x2年度定時
株主総会）

「選任後2年以内に終了する事業年度のうち最終のものに関する定時株主総会」はここ！

❶ 善管注意義務・忠実義務

取締役と株式会社は委任関係にあります。したがって、取締役は受任者として株式会社に対して「善良な管理者としての注意義務（善管注意義務）」を負います。

また、「法令・定款・株主総会の決議を遵守して忠実に職務を行う義務（忠実義務）」が定められています。

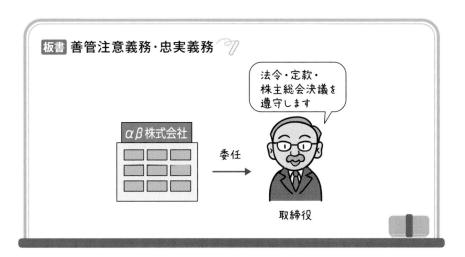

板書 善管注意義務・忠実義務

αβ株式会社 ──委任──▶ 取締役

法令・定款・株主総会決議を遵守します

❷ 競業避止義務

取締役が株式会社の事業と競合する事業を行うと、会社のノウハウが流出するおそれがあり、会社の利益を害する可能性があります。そこで、取締役は、原則として株主総会の承認を得なければ、株式会社の事業と競業的な取引をしてはなりません。

つまり、会社事業とライバル関係になるような事業をすることは原則としてできません。

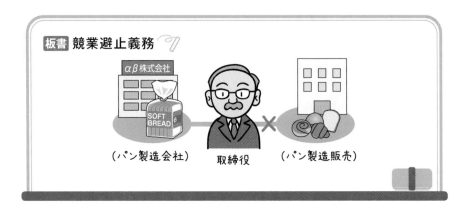

❸ 利益相反取引規制

　取締役は、原則として株主総会の承認を得なければ株式会社と取引ができ
ません。また、当該株式会社が取締役の債務を保証する場合など株式会社と
当該取締役の利益が相反するときも同様です。

❹ 株式会社に対する損害賠償責任

　取締役が、任務を怠って株式会社に損害を与えた場合は、損害賠償責任を
負う必要があります（**任務懈怠責任**）。このとき、原則として過失責任になり
ますが、ケースによっては取締役の損害賠償責任は無過失責任※になること
もあります（取締役が自己のために利益相反取引を直接した場合の損害賠償責任は無過

失責任となる（会社法第428条1項））。

用語 **無過失責任とは？**

民法の基本原則には、他人に損害を与えたとしても、過失・故意（250
ページの **用語** 参照）がなければ損害を賠償しなくてもよいという過失
責任の原則があります。
ただし例外もあり、過失がなくても損害を賠償するという考えが、無過失
責任です。取締役が自己のために利益相反取引かつ直接取引をした場合の
損害賠償責任では、無過失責任が規定されています。
無過失責任は、過失があろうとなかろうと責任を取らなければならない重
い責任になります。主に弱い立場を保護するために設けられた規定です。

3 取締役会

取締役会は3人以上の取締役によって構成され、代表取締役の選任をはじ
め重要な業務について意思決定を行います。取締役会の設置は原則として**任
意**（設置しなくてもよいという意味）です。

4 監査役

監査役とは取締役や会計参与の職務執行の監査（業務監査）および計算書
類等の監査（会計監査）を行う機関です。

監査役の任期は、原則として選任後**4年**以内に終了する事業年度のうち最
終のものに関する定時株主総会の終結の時までです。監査役の設置は原則と
して**任意**です。

5 監査役会

監査役会は**3人**以上の監査役（うち半数以上は社外監査役）によって構成され、
監査報告の作成などを行う機関です。監査役会の設置は原則として**任意**です。

6 会計監査人

会計監査人とは、計算書類の作成が適正になされているかを監査する機関
です。会計監査人の設置は原則として**任意**です。

監査役と異なり業務監査権限を有しておらず、会計監査権限のみ有しています。特に会計に関する専門性が必要ですので、会計監査人の資格は**公認会計士**または**監査法人**に限定されています。

7 会計参与

会計参与は、取締役と共同で、計算書類の作成を行います。計算書類の正確性を高めるため、会計の専門家である会計参与が取締役と共同して計算書類を作成します。会計参与の資格は**公認会計士**（もしくは**監査法人**）または**税理士**（もしくは**税理士法人**）に限定されています。会計参与の設置は**任意**です。

会計参与の任期は取締役と同様で、原則として選任後2年以内に終了する事業年度のうち最終のものに関する定時株主総会の終結の時までです。

? **過去問にチャレンジ！** ──────────── 平成23年度第18問設問1ウ

会計参与の任期は、監査役と同様であり、原則として選任後4年以内に終了する事業年度の定時株主総会の終結の時までである。

> **✕** 原則として、監査役の任期は「4年」であるが、会計参与の任期は「2年」である。

---

4 組織再編等

4種類押さえよう！

　会社は、戦略の手段として組織再編（企業再編）を行う場合があります。

　組織再編には❶事業譲渡、❷合併、❸株式交換・株式移転、❹会社分割等があります。それぞれ特徴が異なり、会社のおかれている状況や目的により使い分けられます。

1 事業譲渡（事業の譲渡）

　事業譲渡とは、一定の営業目的のために組織化された機能的財産を、一体として移転することをいい、譲受人が営業者たる地位を承継し、譲渡人が、法律上、競業避止義務※を負うことをいいます。つまり、会社の工場・事業・部門などの財産の移転や、得意先関係やノウハウも含めて譲渡したいときに事業譲渡が選ばれます。

> 事業譲渡の本質は「事業（ビジネス）を客体（目的物）とした売買契約」ですので、厳密には会社法上の組織再編にはあたりません。しかし、実務上は合併や会社分割などと同様、組織再編の手法として活用されています。

用語▶ 競業避止義務とは？

同一の事業・営業を行うことができない義務のことです。譲渡会社は原則同一市町村および隣接市町村において、20年間の競業避止義務を負います。譲渡したはずのノウハウ等を利用し従来どおり事業活動を継続することを認めてしまうと、譲受会社が利益を害されるので競業避止義務の規定が定められています。

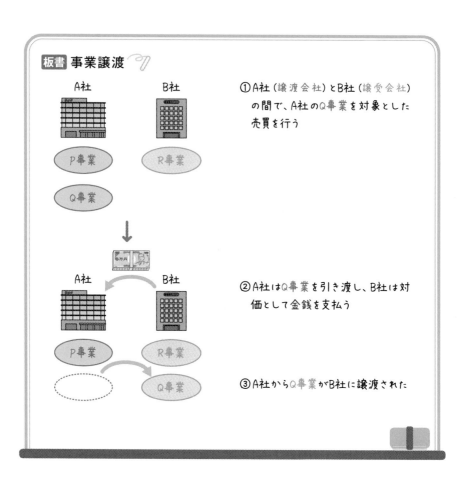

板書 事業譲渡

A社　　　　　B社

P事業　　　　R事業

Q事業

①A社（譲渡会社）とB社（譲受会社）
　の間で、A社のQ事業を対象とした
　売買を行う

A社　　　　　B社

P事業　　　　R事業

　　　　　　　Q事業

②A社はQ事業を引き渡し、B社は対
　価として金銭を支払う

③A社からQ事業がB社に譲渡された

2 合　併

　合併は2以上の会社が契約により1つの会社に合体することです。経営多
角化、市場占有率の拡大、生産集中専門化、経営の合理化など、市場で自社
が優位に立つことを目的に行われることが多くなります。合併には吸収合併
と新設合併があります。

吸収合併

会社が他の会社とする合併で、合併により消滅する会社の権利義務の全部を**合併後存続する会社**に承継させること

つまり 1つの会社が存続し、他の会社は解散し存続する会社に吸収される

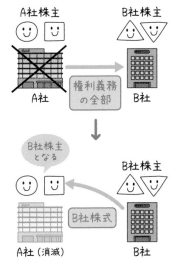

A社株主　B社株主

権利義務の全部　A社　B社

①A社の権利義務の全部をB社に承継させる
これによりA社は消滅する

B社株主となる

B社株主

B社株式　A社（消滅）　B社

②A社株主にB社株式を交付する（A社株主はB社株主となる）

新設合併

2以上の会社がする合併で、合併により消滅する会社の権利義務の全部を**合併により設立する会社**に承継させること

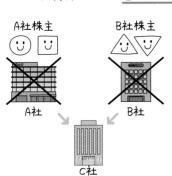

A社株主　B社株主

A社　B社

C社

①A社・B社の権利義務の全部を新設するC社に承継させる
これによりA社・B社はともに消滅する

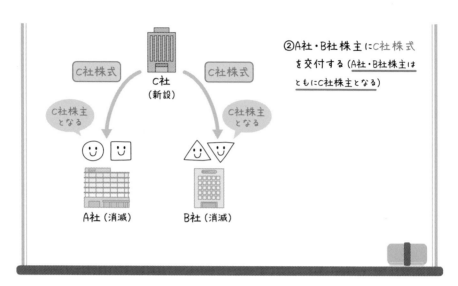

②A社・B社株主にC社株式を交付する（A社・B社株主はともにC社株主となる）

3 株式交換・株式移転

　株式交換・株式移転はどちらも完全親子会社関係（親会社が子会社の発行済株式のすべてを有しているという関係）を実現するための手続きです。

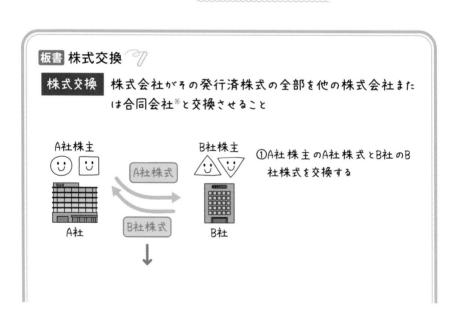

板書 株式交換 🖋

株式交換　株式会社がその発行済株式の全部を他の株式会社または合同会社※と交換させること

①A社株主のA社株式とB社のB社株式を交換する

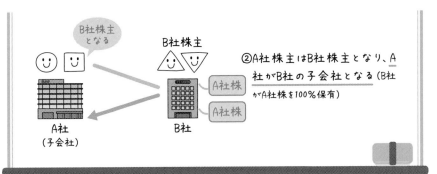

②A社株主はB社株主となり、A社がB社の子会社となる（B社がA社株を100%保有）

用語 合同会社とは？

株式会社以外の会社として、合名会社、合資会社、合同会社があります。これらは、持分会社とよばれます。

持分会社は株式会社と違う特徴があります。持分会社では社員の個性が重視され、原則として出資者である社員が経営に参加します。また一部の持分会社では財産以外の出資も認められています。さらに、持分会社は株式会社よりも定款自治が強化・拡大され、自由に機関設計が行うことができます。

第5章 経営法務

板書 株式移転

株式移転 1または2以上の株式会社がその発行済株式の全部を新たに設立する株式会社の株式と交換させること

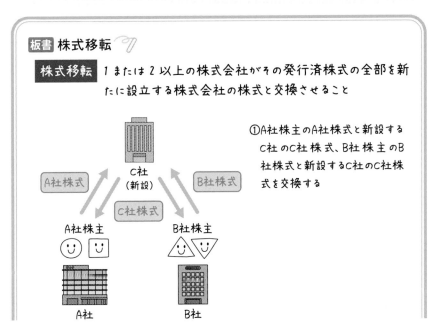

①A社株主のA社株式と新設するC社のC社株式、B社株主のB社株式と新設するC社のC社株式を交換する

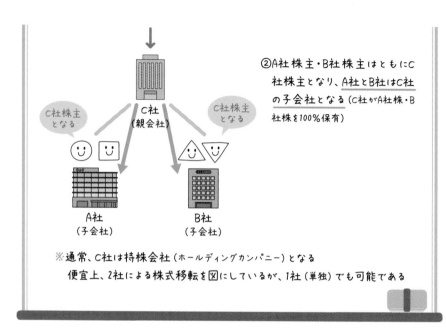

②A社株主・B社株主はともにC社株主となり、A社とB社はC社の子会社となる（C社がA社株・B社株を100%保有）

C社株主となる

C社
（親会社）

C社株主となる

A社
（子会社）

B社
（子会社）

※通常、C社は持株会社（ホールディングカンパニー）となる
便宜上、2社による株式移転を図にしているが、1社（単独）でも可能である

4 会社分割

　会社分割とは、会社が事業の全部または一部を他の会社（新設会社・既存会社）に承継させ、その事業を自社から分割し外部に出すことをいいます。

　会社分割には、吸収分割と新設分割があります。

吸収分割 株式会社または合同会社が、その事業に関して有する権利義務の全部または一部を、既存の会社に承継させること

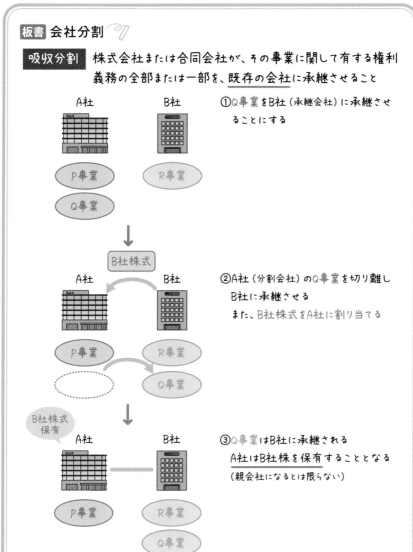

① Q事業をB社（承継会社）に承継させることにする

② A社（分割会社）のQ事業を切り離しB社に承継させる
また、B社株式をA社に割り当てる

③ Q事業はB社に承継される
A社はB社株を保有することとなる
（親会社になるとは限らない）

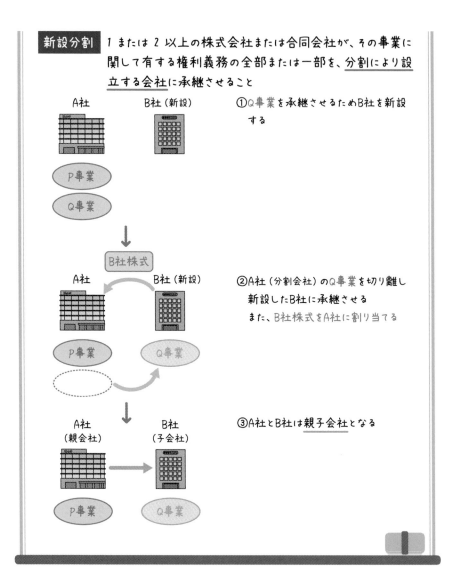

新設分割 1または2以上の株式会社または合同会社が、その事業に関して有する権利義務の全部または一部を、分割により設立する会社に承継させること

A社
B社（新設）

①Q事業を承継させるためB社を新設する

P事業

Q事業

B社株式

A社
B社（新設）

②A社（分割会社）のQ事業を切り離し新設したB社に承継させる
また、B社株式をA社に割り当てる

P事業

Q事業

A社
（親会社）
B社
（子会社）

③A社とB社は親子会社となる

P事業

Q事業

　民法には、総則・物権・債権・親族・相続の５つの分野があり、総則、物権、債権を財産法、親族、相続を家族法といいます。これらは企業活動だけでなく、日常生活にも密接にかかわってくる法律になります。ここでは、このうちの契約などの財産分野について学習します。

1 民法の基本原則

民法を学習するうえで重要な原則！

1 民法の基本原則

　民法には、下の**板書**のような基本原則があります。

　診断士試験では、この原則を知っておくだけで、ケース問題や応用問題に対応できることもありますので，しっかり理解しておきましょう。

板書 民法の基本原則 🖉

権利能力平等の原則	所有権絶対の原則
人は生まれてから死ぬまで、誰でも等しく権利を有し義務を負うことができるという原則	国家といえど、所有権は侵害することはできないという原則

契約自由の原則 （私的自治の原則）	過失責任の原則 （過失責任主義）
誰とどんな契約をしても自由だという原則	過失・故意※がなければ損害賠償責任を負わされることがないという原則

▶ **過失・故意とは？**

過失は、一定の事実を認識することができたにもかかわらず、「不注意」でそれを認識しないことをいいます。

故意は、自分の行為から一定の結果が生じることを知りながら「あえて」その行為をすることをいいます。つまり「わざと」する行為になります。

2 民法の構造

　民法は、①総則、②物権、③債権、④相続、⑤親族の5つから構成されています。診断士試験では物権、債権、相続から主に出題されます。

板書 民法の構造

 ①総則

◆民法全体にわたって共通する事項について定めた部分（民法の共通ルール）
　→意思能力、代理など

②物権

◆土地などの物に対する権利
　→占有権、所有権など

③債権

◆人に対する権利・義務
　→契約、不法行為など

④相続

◆人が死亡した場合の財産の流れについて定めた部分
　→相続人、相続分など

 試験で出題

⑤親族

◆「親族」の範囲を定める規定
　→婚姻、親子など

2 契 約

まず、契約の中で必須の用語「債権」「債務」について学習します。

1 債権と債務

債権とは、特定の人が他の特定の人に対して、一定の行為を請求することができる権利のことをいいます。たとえば、AさんがBさんにお金を貸していた場合に、AさんがBさんに対してその返済を請求する権利などです。

逆に、お金を借りたBさんは、お金を貸したAさんに対して返済をする義務があります。このような義務を債務といいます。

板書 債権と債務

例 車を100万円で売った場合の売買契約

売主 「買主に代金を請求する権利」と「買主に車を渡す義務」が生じる
→ 債権　　　　　　　　→ 債務

買主 「売主に代金を支払う義務」と「売主に車を渡すように請求する権利」が生じる
→ 債務　　　　　　　　→ 債権

100万円払って！　　　　車を渡して！

売主 → 買主　　　売主 ← 買主
代金　　　　　　　車

「払って」と言える人 ＝債権者
払う義務がある人 ＝債務者
渡す義務がある人 ＝債務者
「渡して」と言える人 ＝債権者

第5章 経営法務

251

2 契約の種類

　取引をするときには、一番最初に契約を取り交わします。契約は目的により いくつかに分類され、民法では13種類の**典型契約**が定められています。

　このうち、おもな10種類について説明します。

❶ 財産の移転を目的とした契約

　①贈与、②売買、③交換の３つの契約があります。

板書 財産の移転を目的とした契約

①贈与

当事者の一方が財産を無償で相手方に与える意思を表示し、相手が受諾すること

☆つまり無償でプレゼントすること

②売買

売主が買主に財産を移転することを約し、買主がこれに対して代金を支払うことを約すること

☆日常生活においては店で物を買うことなど

③交換

当事者が互いに金銭の所有権以外の財産権を移転することを約すること

☆つまり物と物を交換すること

---

❷ 財産の利用を目的とした契約

　④消費貸借、⑤使用貸借、⑥賃貸借の３つの契約があります。

板書 財産の利用を目的とした契約

④消費貸借

借主が種類、品質および数量が同じ物をもって返還することを約して、貸主から金銭その他の物を受け取ること

☆代表例として金銭消費貸借※など

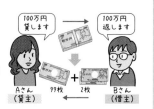

⑤使用貸借

借主が無償で使用および収益をし、契約が終了したときに返還することを約すること

☆たとえば友人からテキストを借りるなど、物の貸し借りのこと

※消費貸借との違いは、借りたその物を返す必要があること

⑥賃貸借

賃貸人がある物の使用および収益を賃借人にさせることを約し、賃借人がこれに対してその賃料を支払い、そして契約が終了したときに引き渡しを受けた物を返還すること

※使用貸借との違いは有償であること

第5章 経営法務

用語 金銭消費貸借とは？

お金の貸し借りのことを金銭消費貸借といいます。100万円を借りた場合、返すときにまったく同じ通し番号の１万円札100枚で返す必要はありません。消費貸借では「種類、品質および数量の同じ物をもって返還」すればいいので、ほかの１万円札や、５千円札等で100万円を返すことが可能です。

❸ 役務や労働力の利用を目的とした契約

⑦雇用、⑧請負、⑨委任、⑩寄託の４つの契約があります。

板書 役務や労働力の利用を目的とした契約

⑦雇用

当事者の一方（被用者）が相手方（使用者）に対して労働に従事することを約し、相手方（使用者）がこれに対して報酬を支払うことを約すること

⑧請負

請負人がある仕事を完成することを約し、注文者がその仕事の結果に対して報酬を支払うことを約すること

⑨委任

委任者が法律行為をすることを受任者に委託し、受任者がこれを承諾すること

⑩寄託

当事者の一方が物を保管することを委託し相手方が承諾すること

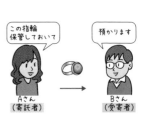

このほかにも典型契約では、⑪組合、⑫和解、⑬終身定期金が定められています。

❓ **過去問にチャレンジ！** ━━━━━━━━━━━━━━━━ 平成17年度第12問イ改題

　請負契約は、請負人が労務の提供、注文者が報酬の支払いをする契約である。

✕ 「労務の提供」を目的とするのは雇用契約。請負契約は「仕事の完成」を目的とする。

1 保証とは

保証とは、主債務者が債務を履行しない場合に、保証人がその履行を担保する（代わって行う）制度です。

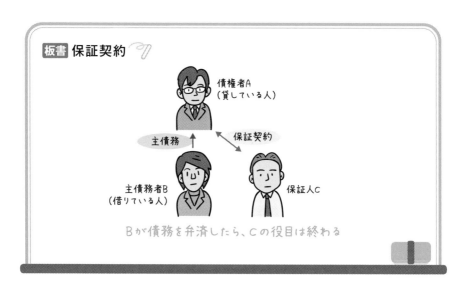

板書 保証契約

債権者A
（貸している人）

主債務 ↑　　保証契約

主債務者B
（借りている人）

保証人C

Bが債務を弁済したら、Cの役目は終わる

保証契約は主たる債務の存在が前提になります。あくまで主債務を担保することから、主債務が消滅すれば保証債務も同時に消滅します。

つまり、**主債務者が債務を弁済すれば保証人も役目を終えたことに**なります。

2 連帯保証

保証契約の中で、保証人が主債務者と「連帯して」保証債務を負担することを、<u>連帯保証</u>といいます。

単なる保証人とは異なり、催告の抗弁権、検索の抗弁権がありません。また連帯保証人が複数いても分別の利益が認められません。

板書 連帯保証

◆ 連帯保証人Cは、債権者Aから払えと言われたら、債務者Bへの催告を請求する権利がない

つまり「Bに言ってください」と言えない！ → 「催告の抗弁権」がない

◆ 連帯保証人Cの財産に執行すると言われたら、債務者Bの資力の有無にかかわらず執行されても仕方ない

つまり Bに弁済能力があったとしても、支払わなければならない！
→ 「検索の抗弁権」がない

◆ 連帯保証人CのほかにDも連帯保証人になっているとしても、全額の支払いを請求される場合がある → 「分別の利益」がない

債権者A
（貸している人）

連帯保証契約

主債務

主債務者B
（借りている人）

連帯保証人C

3 保証契約の要式性

すべての保証契約は書面でされない限り無効*です。書面には、電子メールなど保証契約を記録した電磁的記録も含まれます。

用語 ▶ 有効・無効とは？

有効とは効力・効果のあること、無効とは最初から効力・効果がないことをいいます。

過去問にチャレンジ！

　X社がY社に本件システムを販売した際に、Y社代表者Aが個人として販売代金の支払について連帯保証する旨X社代表者に対して発言し、X社代表者が口頭でAの個人保証を承諾していた場合、X社は、A個人に対して保証債務の履行として残代金の支払を請求することができる。

× すべての保証契約は書面でされない限り無効である。口頭では保証契約は成立しない。

4 契約の履行と不履行　債権・債務はどうなったらなくなるの？

1 契約の履行

　契約が約束どおりに履行されれば、債権・債務は消滅します。債権・債務の消滅原因には、以下のようなものがあります。

板書 債権・債務の消滅原因

①弁済

たとえば、借りたお金を返す、売買の目的物を引き渡すなど

②代物弁済

たとえば、借りたお金の代わりにモノを返すなど

③相殺

たとえば、AがBに100万円借りていて、同時にBはAに40万円借りていた場合、その40万円分の債務をお互いに消滅させて、Bに対するAの債務を60万円とすること

相殺します

100万円

40万円

Aさん　40万円分を　Bさん
　　　　消滅させる

---

2 契約の不履行

　契約を約束どおり履行しないことを**債務不履行**といいます。債務不履行への対処法は、法律でいくつか規定されています。

❶　**債務不履行による損害賠償**

　「債務者が約束どおりの履行をしないとき」「そもそも債務の履行が不能になってしまったとき」に、原則として債権者（買主）は損害賠償を請求できます。

　ただし、このとき債務者（売主）に**帰責事由**（責めに帰する事由。法的な責任義務等のこと）がないときは、損害賠償責任が生じません。

　つまり、債務者が損害賠償責任を免れるには、自ら帰責事由がないことを立証する必要があります。

板書 債務不履行による損害賠償

　　　　債務者（売主）　　車 ✕ →　　債権者（買主）

■パターン①　　不注意（過失）で引渡しできなかった

　　　　　　　　　↓

債務者（売主）に**帰責事由がある**

債務者（売主）の責めに帰する事由なので…

　原則　債権者（買主）は損害賠償を請求できる

■パターン②　　自然災害による交通途絶などで商品を納品できなかった

　　　　　　　　　↓

債務者（売主）に**帰責事由がない**

債務者（売主）の責めに帰することができない事由なので…

債務者（売主）は損害賠償請求を免れることが可能！

---

❷　債務不履行による契約の解除

　債務不履行により契約を「解除」することが可能です。

　このとき、損害賠償責任と異なり債務者の帰責事由は要件とされていません。

板書 **債務不履行による契約の解除**

債務者（売主）　　車　×　→　債権者（買主）

■自然災害による交通途絶などで商品を納品できなかった

↓

債務者（売主）に帰責事由がない

債務者（売主）の責めに帰することができない事由だが…

債権者（買主）は契約を解除することが可能！

（つまり、契約の解除には、債務者の帰責事由は不要）

契約がなくとも損害賠償責任を負うことがあります。

1 不法行為

不法行為とは、故意または過失によって他人の権利または法律上保護される利益を侵害し、これによって損害を与える利益侵害行為をいいます。不法行為の成立には、加害行為が加害者の**故意または過失**※に基づくものであることなどが成立要件になります。

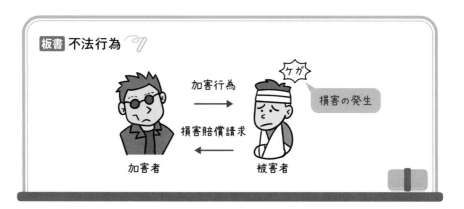

板書 不法行為

加害行為

損害賠償請求

加害者　　　被害者

ケガ

損害の発生

2 不当利得

不当利得とは、正当な理由がなく、他人の財産または労務によって利益を受け、そのために他人に損失を及ぼすことです。そして、不当利得を受けている者（受益者）は、これを返還する義務を負います。

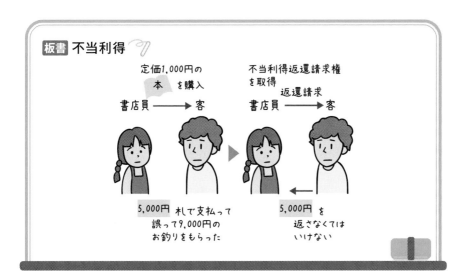

　「善意[※]の受益者」は、「その利益の現存する限度（現存利益）」で、利得の返還義務を負います。「現存利益」とは、取得したすべての利益から、費消（使い果たすこと）、滅失・毀損した部分を差し引いて、現に利益が残存しているものをいいます。

　また、「悪意[※]の受益者」は、その利益が現存しなくても、利益の全部に利息を付して返還する必要があります。さらに、損失者に損害が生じた場合には、その損害も賠償する義務を負います。

用語 ▶ **善意・悪意とは？**

善意とは「ある事情・事実を知らないこと」、悪意とは「ある事情・事実を知っていること」をいいます。日常生活で使われる用語と意味合いが異なるので注意しましょう。上の例でいうと、
「利得について善意のBは、…」＝利得について知らなかったBは、…
「利得について悪意のBは、…」＝利得について知っていたBは、…
となります。

「金属加工業の挑戦：未来へ引き継ぐ技術力」

　ある金属加工の中小企業があった。創業して30年以上が経ち、年商5,000万円を誇るこの会社は、独自の接合技術や切削技術で業界では広く知られていた。大学などの研究機関が実験で使用する器具を注文したり、企業から試作品の作成を依頼されることも多かったのだ。社長は、技術を大切にしながらも、それらを積極的に公開してきた。

　しかし、最近では社長も高齢になり、以前のように新しい技法を思いつくことが難しくなってきた。アイデアはたくさんあるものの、それを形にして継続的に製品を開発するのは容易ではないのだ。

　そんなとき、中小企業診断士に次のようなアドバイスをされた。

　まず、社長の独自技術を守るために、特許や実用新案、意匠などの産業財産権を出願して登録することを提案された。これにより、会社の技術を他の企業にライセンスして使わせることで、安定した収入を得ることが可能となる。

　次に、技術を体系的にまとめ、会社の財産として次世代に引き継ぐことが重要であると助言された。社長の経験と知識を整理してドキュメント化することで、若い技術者にも伝えることができるのだ。

　さらに、長年培ってきた技術を教える仕事に切り替えることも考えてほしいと提案された。社長の知識を若い技術者に教えることで、次の世代の技術者を育成することができる。これにより、会社は高い技術力を維持し、社長自身も新しい挑戦を続けることができるのだ。

　こうして、金属加工の会社は新たなステージに進むことができた。

　中小企業診断士のアドバイスを受け入れ、技術を守り育て、次世代に伝えることで、会社の未来は明るいものとなるだろう。

(F)

第 6 章

経営情報システム

Section 1　情報技術の基礎知識

Section 2　クラウドコンピューティング

診断士試験で経営情報システムについて学習するのはなぜ?

　技術の発展や普及により、インターネットやパソコン、スマートフォンなどの通信や通信機器が私たちの身近にあります。企業経営においても、情報システムを活用した経営力強化は避けて通れない状況にあります。このような状況のなか、企業経営と情報システムを結びつけることのできる人材の重要度も増しています。

　中小企業診断士には、情報システムの知識を身につけ、情報技術に不慣れな企業経営者と情報技術者などとを結びつけるために橋渡しをする役目や情報システムを経営戦略や企業革新の実現に活用することが期待されています。

我が社の経営戦略＋情報システム？？？ 一緒に考えましょう！ 両者の知識や考えがわかる

経営者 診断士 情報処理などの専門家

経営者と共にどのように結びつけるかを考える 専門家と経営者の橋渡しをする

　本科目では、「情報通信技術に関する基礎的知識」「経営情報管理」の2つの分野を学習します。

○情報通信技術に関する基礎的知識

　経営情報システムの知識を得るうえで基礎となる、ハードウェアやソフトウェア、データベース、ネットワークなどの知識について学習します。

○経営情報管理

　経営情報システムの内容や役割、実際の情報システムの開発や運用など、企業経営と情報システムの関係について学習します。昨今、重要度が増しているセキュリティ対策は、本試験で重要論点として出題されています。

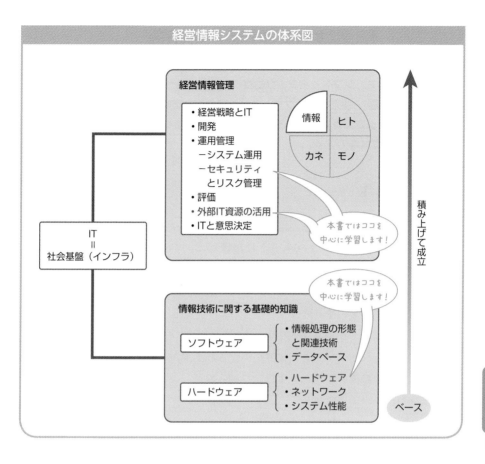

経営情報システムの体系図

経営情報管理

- 経営戦略とIT
- 開発
- 運用管理
  - システム運用
  - セキュリティとリスク管理
- 評価
- 外部IT資源の活用
- ITと意思決定

情報 / ヒト / カネ / モノ

本書ではココを中心に学習します！

IT ＝ 社会基盤（インフラ）

積み上げて成立

本書ではココを中心に学習します！

情報技術に関する基礎的知識

ソフトウェア
- 情報処理の形態と関連技術
- データベース

ハードウェア
- ハードウェア
- ネットワーク
- システム性能

ベース

戦略情報システム（データ活用）や物流情報システム（バーコードなど）をはじめ、企業経営理論や運営管理と重なるところが多い科目です。

情報技術の基礎知識

　ハードウェア、ソフトウェア、プログラム設計の3つの要素が問われる「情報技術の基礎知識」。生活のインフラとなったIT技術を理解するのに、ベースになる知識です。パソコンやスマホなどの機器から、中で動くソフトウェアおよびその作り方まで幅広く学びます。

1 ハードウェア

機械そのもののこと！

　普段、インターネットを利用する場面を考えてみましょう。スマートフォンやパソコンからインターネットに接続して、Webサイトを閲覧したり、メッセージ、SNSのやり取りをしたり……などがあります。

　インターネットを利用しているときは、通信回線を使って他のコンピュータと相互にデータのやり取りを行っています。そして、それぞれのコンピュータの中では、メールソフトやホームページ閲覧ソフト（Webブラウザ）などのアプリケーションソフトウェアが実行されます。そのソフトウェアのプログラムの命令に従って処理を実行しているのが、コンピュータの機械の部分、つまりハードウェアです。

【情報システムの世界】

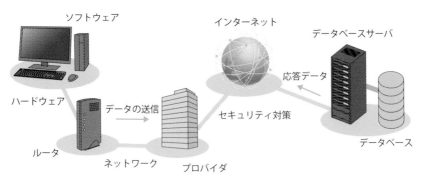

　ハードウェアとは、コンピュータを構成している電子回路や周辺機器など機械そのもののことをいいます。

1 コンピュータの5大装置

コンピュータは、次の❶～❺の5つの装置を使って情報処理を行います。

板書 コンピュータの5大装置とデータの流れ

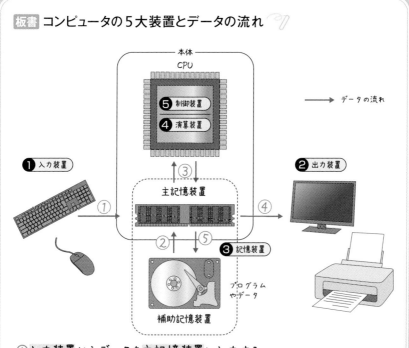

① 入力装置からデータを主記憶装置に入力する
② 補助記憶装置に記憶されているデータを主記憶装置に読み込む
③ 主記憶装置に記憶されているデータをCPUが読み込み、制御・演算
　処理して、処理結果を主記憶装置に書き込む
④ 主記憶装置に記憶されている処理結果を出力装置に出力する
⑤ 主記憶装置に記憶されている処理結果を補助記憶装置に書き込む

【5大装置の例】

入力装置	マウス、キーボード、タッチパネル、スキャナなど
出力装置	ディスプレイ、プリンタ、スピーカなど
記憶装置	主記憶装置（メモリ） 補助記憶装置（SSD、ハードディスク、光ディスク）
演算装置	CPU（Central Processing Unit）
制御装置	

2 CPUのはたらき

　制御装置と演算装置をまとめて処理装置といい、**CPU**（Central Processing Unit：中央演算処理装置）とよんでいます。

　CPUの中には「命令読込」「命令解読（解釈）」などを行う箇所があります。**命令**とは、足し算や引き算を行えなどコンピュータに対して動作を指示するものです。この**命令**の集まりがプログラムです。プログラムやデータは、補助記憶装置から主記憶装置に読み込まれます。CPUはプログラムの中から命令を読み込み、それを解釈し、実行し、結果を主記憶装置に格納します。

　CPUがアクセス（読み書き）できるのは、主記憶装置に記憶されているデータだけです。作業中のデータ、つまり、CPUが処理中のデータは、つねに主記憶装置上に存在します。

　文章などの資料を作成中に、保存をしないまま電源を切ってしまい、それまでの作業中のデータが消えてしまった、という経験がある方はいませんか？　このように、電源を切るとデータが消えてしまうことを**揮発性**といいます。主記憶装置は揮発性メモリ、補助記憶装置は**不揮発性**メモリです。したがって、電源を切っても残しておきたいデータは、保存ボタンを押すなどして補助記憶装置に記憶しておかなければなりません。

【CPUの機能】

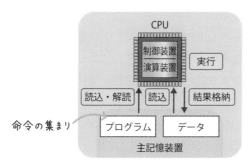

過去問にチャレンジ！ ━━━━━━━━━━━━ 平成24年度第2問改題

演算装置では、処理命令に従ってデータを処理し、制御装置の指示でその演算結果を転送させて補助記憶装置に記憶させる。

× 制御装置と演算装置をまとめた処理装置（CPU）がアクセスできるのは、補助記憶装置ではなく、主記憶装置である。

2 ソフトウェア　コンピュータを動かすプログラムのこと！

　ハードウェアが機械そのものであるのに対し、ソフトウェアは、形のない、情報処理の手順や命令などのことをいいます。コンピュータプログラムとほぼ同じ意味ですが、プログラムとデータを総称してソフトウェアとよぶこともあります。

　ソフトウェアには、OS（Operating System／基本ソフトウェア）、ワープロソフトなどのアプリケーションソフトウェア（応用ソフトウェア）、基本ソフトウェアと応用ソフトウェアの中間に位置するソフトウェアであるミドルウェアなどがあります。

1 OS（Operating System ／基本ソフトウェア）

　OSとは、コンピュータシステム全体を管理する基本ソフトウェアです。

板書 OSの種類

Windows	・米マイクロソフト社が開発 ・多くの企業や家庭に普及している	・マルチタスク、マルチユーザ、マルチウィンドウに対応[1] ・GUI（Graphical User Interface）[2]を採用
UNIX （ユニックス）	・米AT&T社のベル研究所が開発	・マルチタスク、マルチユーザ、マルチウィンドウに対応
Linux （リナックス）	・OSの中核部分がライセンスフリーで配布されている ・UNIXと互換性がある	・マルチタスク、マルチユーザ、マルチウィンドウに対応 ・ソースコード[3]が公開されている
MacOS	・米アップル社のパソコンMacintosh用に開発	・マルチタスク、マルチユーザ、マルチウィンドウに対応
iOS	・米アップル社が開発 ・タッチパネル式で携帯端末向け ・iPhone、iPad、iPad miniなどに搭載されている	・マルチタスクに対応 （現在iPadやiPad miniなど向けにはiPadOSとして独立している）

Android （アンドロイド）	・米Google社が開発 ・スマホやタブレット端末などに搭載	・マルチタスクに対応 ・ソースコードが公開されている

※1 マルチタスク：1台のコンピュータで同時に複数のアプリケーションを起動し、
　　　　　　　　 並列的に実行できること

　　マルチユーザ：1台のコンピュータを複数のユーザで共有すること

　　マルチウィンドウ：コンピュータのディスプレイ上でワープロソフトやメールソフ
　　　　　　　　　　 トなどの複数のソフトウェアを同時に表示すること

※2 GUI（Graphical User Interface）：基本画面にアイコンなどの絵で表現されたも
　　のが表示され、ソフトウェアの実行などをマウスの操作で行う形式

※3 ソースコード：プログラム言語で書かれた文字列の集まり

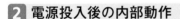

2 電源投入後の内部動作

　OSはプログラムの集合体ですが、他のプログラムよりも先に主記憶装置（メモリ）に読み込まれ、実行されるという点で他のプログラムと異なります。電源を入れるとまず、ROM※に記憶されているBIOS※というプログラムが起動します。次に、メモリのチェックや周辺装置（キーボードやディスプレイなど）との接続状況を確認します。その後、補助記憶装置に格納されているOSのプログラムをメモリに読み込み、コンピュータが使用可能な状態になります。

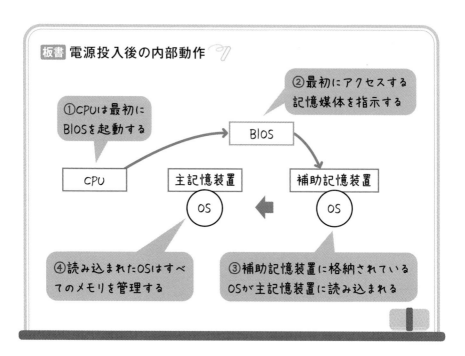

板書 電源投入後の内部動作

①CPUは最初に
BIOSを起動する

②最初にアクセスする
記憶媒体を指示する

BIOS

CPU

主記憶装置

OS

補助記憶装置

OS

④読み込まれたOSはすべ
てのメモリを管理する

③補助記憶装置に格納されている
OSが主記憶装置に読み込まれる

用語 ROM、BIOSとは？

ROM：Read Only Memoryの略で、電源を切ってもデータが消えない不揮発性の記憶素子です。主に補助記憶装置で使われます。Read Only Memoryの表記を見ると読み出し専用と思われますが、現在では技術が進み、書き換え可能なROMが主流となっています。
BIOS：Basic Input / Output Systemの略で、周辺装置の基本的動作を制御するためのプログラムのこと。基本入出力システム、つまりコンピュータの基本的な入出力を行うためのプログラムを意味します。

3 OSの機能

　OSの主な機能は、コンピュータの資源を効率的に制御することです。OSのもつ機能としては次のようなものがあります。

板書 OSの機能

◆ジョブ管理：複数のジョブ（ユーザから見た仕事の
　　　　　　　単位）の実行や終了などの制御を
　　　　　　　行う

◆タスク(プロセス)：タスク（ジョブを細分化したコンピュー
　　管理　　　　　タ内部での仕事の単位）の複数の実
　　　　　　　　　行を管理し、CPUを有効活用する

◆入出力管理：入出力装置であるキーボードやプリンタなどを管理
　　　　　　　する

◆記憶管理：複数のプログラムの主記憶装置への割り当てや、補
　　　　　　助記憶装置から主記憶装置への記憶容量の提供
　　　　　　（仮想記憶装置※）を制御する

◆ユーザ管理：1台のコンピュータにて複数のユーザアカウントを作
　　　　　　　成し、コンピュータ上でマルチユーザを実現する

◆その他：セキュリティ管理、通信管理など

ジョブ
タスク1
タスク2
タスク3

用語 仮想記憶方式とは？

主記憶装置が、備えている容量以上の作業領域が必要なときに、補助記憶
装置を利用して仮想的に主記憶装置の作業領域を増やす方式です。

第6章 経営情報システム

OSに先立って起動し、ディスプレイやキーボードを利用可能にするソフトウェアをBIOSという。

○ 正しい。

ハードウェアとソフトウェアの中間的な存在としてハードウェアの基本的な制御を行うために機器に組み込まれたソフトウェアをミドルウェアという。

× 基本ソフトウェアと応用ソフトウェアの中間に位置するソフトウェアをミドルウェアという。

3 セキュリティ対策① 暗号化

インターネットをはじめとするネットワークは、企業活動には欠かせないものになっています。セキュリティ対策を怠ると、自社だけでなくサービス提供者などの関係者にまで被害が広がり、企業経営の継続にまで影響を与える場合もあります。正しい知識と運用方法を知って、社内で継続的に対策し続けることが大事です。

ここでは代表的なセキュリティ対策として**暗号化、認証、アクセスコントロール**の3つについて学習します。セキュリティ対策を行うには、この3つをバランスよく組み合わせて適切な対策を講じる必要があります。

板書 セキュリティの3大対策

暗号化	情報を第三者が盗み見た場合にもその内容を解読できないよう、データを加工すること 具体的な技術：共通鍵暗号方式、公開鍵暗号方式、SSL
認証 （ 4 で説明）	①ユーザ認証 　システムの利用者が正当な本人であることを確認すること 　具体的な技術：ワンタイムパスワード、　バイオメトリクス ②サーバ認証 　通信先のサーバが正当な運営者であることを確認すること 　具体的な技術：電子署名、SSL ③メッセージ認証 　データ内容の真正性を確認すること 　具体的な技術：電子署名
アクセスコントロール （ 5 で説明）	許可された利用者のみが情報にアクセスできるよう制御すること 具体的な技術：ファイアウォール、IDS

第6章 経営情報システム

1 暗号化とは

　暗号化技術は、もともと、軍事やスパイ活動などにおいて、機密情報の漏えいを防ぐための手段として発達してきました。現代では、この暗号化技術がインターネット上の電子商取引などで利用されています。

　高度なアルゴリズム※を用いた暗号化技術は、事実上人の力で解析するのは不可能です。暗号化方式は大きく**共通鍵暗号方式**と**公開鍵暗号方式**の2つに分類されます。

 用語 ▶ **アルゴリズム、鍵**（Key）**とは？**

　アルゴリズム：文章などを暗号化するときの手順や規則のこと。
　　例）アルファベットの文字を順にずらす
　鍵（**Key**）：アルゴリズムの具体的な情報のこと。
　　例）アルファベットを3文字ずつずらす

2 共通鍵暗号方式

　暗号化／復号※に同一の鍵を用いる暗号方式の総称で、秘密鍵暗号方式／慣用暗号方式ともいいます。通信相手ごとに個別の暗号鍵をもつ必要があります。

 用語 ▶ **復号とは？**

　暗号化されたデータを元に戻すこと。暗号化された文章も復号されることで、読むことができるようになります。

3 公開鍵暗号方式

　データを暗号文に変換するときに用いる**暗号鍵**と、その暗号文を元のデータに復号するときに用いる**復号鍵**が**異なる**点が最大の特徴です。共通鍵暗号方式とは異なり、通信相手ごとに個別の暗号鍵をもつ必要はありません。欠点は、共通鍵暗号方式に比べ、暗号化／復号に必要な処理が膨大なため、処

理速度が遅くなることです。

【共通鍵暗号方式と公開鍵暗号方式】

〈共通鍵暗号方式〉

〈公開鍵暗号方式〉

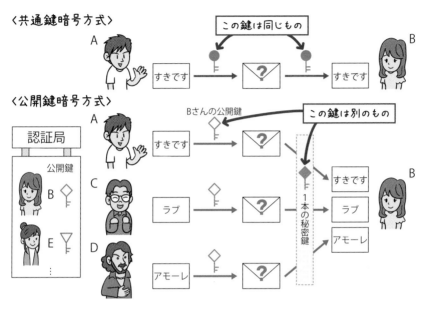

 過去問にチャレンジ！ ———————————————— 令和元年度第19問b

　公開鍵暗号方式では、送信者は送信データを受信者の公開鍵で暗号化し、それ
を受け取った受信者は、ペアとなる送信者の秘密鍵で復号する。

✕ 　公開鍵暗号方式では、**受信者**の秘密鍵で復号する。

　誰が（送信者／受信者）、何で（秘密鍵／公開鍵）、どんな操作
をするか（暗号化／復号）を確認しましょう。

279

【共通鍵／公開鍵暗号方式の比較】

	共通鍵暗号方式	公開鍵暗号方式
暗号化と復号に使用する鍵	同じ	異なる
暗号化／復号に要する時間	短い	長い
鍵管理の煩雑さ	複雑	単純
代表的な暗号化アルゴリズム	DES、AES	RSA

セキュリティ対策② 認証 3種類の認証を確認しよう！

認証には、システムの利用者が正当な本人であることを確認する**ユーザ認証**、通信先のサーバが正当な運営者であることを確認する**サーバ認証**、データ内容の真正性を確認する**メッセージ認証**があります。

1 ユーザ認証

ユーザ認証にはさまざまな手法がありますが、一般的なものは「**ID・パスワード**」による認証です。外出先や遠隔地から社内ネットワークを使用すること（リモートアクセス）を許可する場合などで利用されるユーザ認証について3つあげます。

❶ ワンタイムパスワード

ワンタイムパスワードは、1回限りの使い捨てパスワードを自動的に生成し、そのパスワードとIDを用いて利用者の正当性を判断する技術です。使い捨てパスワードは、クライアントおよびサーバ双方にて共通ルールのもとに作成されます。1回限りのパスワードなので、パスワードが漏えいしてしまっても次回以降のアクセスは不可能となります。金融機関の送金操作など高い機密性が要求されるシステムに広く用いられています。

【ワンタイムパスワードのイメージ】

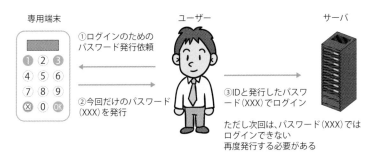

❷ シングルサインオン

シングルサインオンは、ユーザの利便性を図るため、ユーザが一度認証を受けるだけで、アクセスを許可されているすべての機能を利用できるようになる仕組みです。ネットワーク端末の起動に1回、サーバへの接続に1回などと、何度もID・パスワードを入力しなければならない手間を省略し、最初の1回の認証だけですべてのユーザ認証を自動的に受けられるように処理するものです。SNSなどwebサービスのログイン機能に利用されています。

【シングルサインオンのイメージ】

❸ バイオメトリクス（生体認証）

バイオメトリクスは、認証にその人特有の身体的特徴を用いるものです。たとえば、指紋や声紋、人相、さらには署名する際の動作などです。バイオメトリクスは1つの身体的特徴を1つの数値に変換し、この数値に基づいて識別情報を作ります。

バイオメトリクス認証は、パスワード認証と比較すると圧倒的に安全性の高い方法ですが、100％安全という認識をもたないことが大切です。

【バイオメトリクスのイメージ】

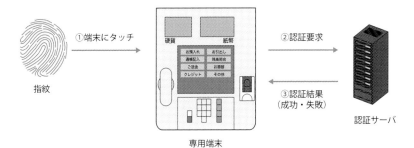

①端末にタッチ
指紋

硬貨　　　紙幣

お預入れ　お引出し
通帳記入　残高照会
ご送金　　お振替
クレジット　その他

②認証要求
③認証結果
（成功・失敗）

専用端末

認証サーバ

？ 過去問にチャレンジ！ ――――――――――――― 令和3年度第11問ア

　生体認証では、IDとパスワードに加えてセキュリティトークンによって利用者を認証する。

> ✕　生体認証は、認証にその人特有の身体的特徴を用いる。指紋、声紋、人相、署名する際の動作などである。

---

2 サーバ認証

　インターネット上では、著名な企業や団体のWebサイトを装い、クレジットカード番号などの機密情報を盗むフィッシングの脅威が存在します。**サーバ認証**とは通信先のサーバが正当な運営者であることを確認するための技術であり、フィッシングのWebサイトを見分けることができます。

　代表的なものに、SSLがあります。

　SSLは、データを暗号化し、インターネットに流れる個人情報やクレジットカード情報、企業秘密に関する情報などを安全に送受信するためのプロトコル※です。具体的には、共通鍵暗号方式や公開鍵暗号方式、デジタル署名※などのセキュリティ技術を組み合わせています。

用語 プロトコル、デジタル署名とは？

プロトコル：ネットワーク上での通信の規約や手順。たとえば、インターネットでホームページを見るときはHTTPというプロトコルを使ってデータの送受信が行われています。

デジタル署名：「相手の正当性」と「情報の改ざんの有無」を確認するための認証技術。契約書などの紙の文章の場合はサインや印鑑で認証を行いますが、電子文章の認証にはデジタル署名が用いられます。

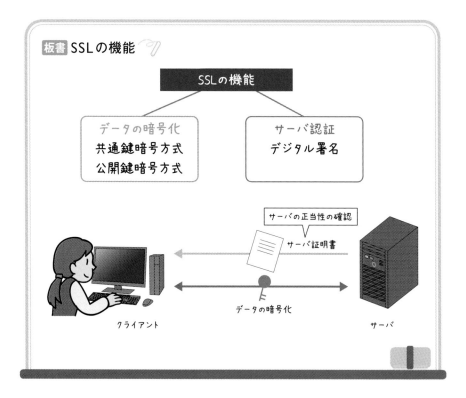

板書 SSLの機能

SSLの機能

データの暗号化
共通鍵暗号方式
公開鍵暗号方式

サーバ認証
デジタル署名

サーバの正当性の確認

サーバ証明書

データの暗号化

クライアント　　　　　　　　　　　　　　　　　　サーバ

SSLは、ショッピングサイトなどで利用します。「まず、ユーザがサーバを認証し、次にカード番号などを暗号化して通信する」というものです。

3 メッセージ認証

ネットワークを通じて送信された情報には、本来の利用者が発信した情報が不当に変更される「改ざん」の脅威が存在するため、メッセージ認証が重要となります。**メッセージ認証**とは、そのメッセージが、作成・送信された時点から改ざんされていないことを証明する技術です。メッセージが改ざんされていないことを証明するためには、ハッシュ関数が用いられます。

■ハッシュ関数の特徴

ハッシュ関数とは、平文から固定長の疑似乱数（メッセージダイジェスト、ハッシュ値）を生成する演算手法で、2つの特徴があります。1つ目は、メッセージダイジェストから元の平文を再現することが難しい（一方向性）ことです。2つ目は、元の平文が少しでも異なるとメッセージダイジェストの値が大きく異なることです。

【メッセージ認証のイメージ】

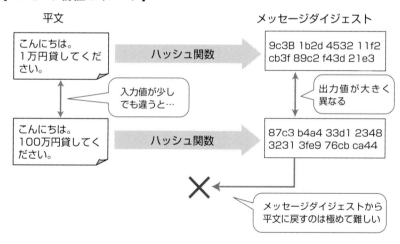

5 セキュリティ対策③ アクセスコントロール

不正アクセスに対抗！

コンピュータに対して、与えられた権限外の操作を行うことを**不正アクセス**といいます。不正アクセスには、なりすまし（他人のID／パスワードを不正に利用する行為）やセキュリティホール（プログラムの不備等）を攻撃して侵入する行為などがあります。不正アクセスに対抗するためには、**アクセスコントロール**の技術の導入が重要となります。

1 ファイアウォール

ファイアウォールは、組織内部のLAN※と、その外部に広がるインターネットとの間に、外部からの不正なアクセスを防ぐ目的で設置されるルータ※やコンピュータ、またはその機能的役割のことです。インターネットを通じて第三者が侵入し、データやプログラムが盗まれたり改ざんされたりしないように、外部から送られてくるデータを監視し、不正なアクセスを検出・遮断する機能をもちます。また企業内部からの不用意な情報の流出を防止するための機能もあわせもちます。

用語 ▶ LAN、ルータとは？

LAN（Local Area Network）：会社や家の中など限られた範囲で、コンピュータなどの端末を通信回線で結んだネットワーク。同じLANの中では、データの共有やプリンタなどの機器の共有ができるなどの多くの利点があります。
ルータ：LANからインターネットなど異なるネットワークに接続するための機器。自宅や社内でWi-Fiを使う場合には無線LANルータが設置されています。

【ファイアウォールのイメージ】

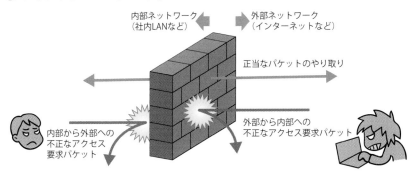

2 DMZ （DeMilitarized Zone：非武装地帯）

　DMZは、インターネットなどの信頼性の低い外部ネットワークと、社内ネットワークの中間に置かれる区域のことです。Webサーバやメールサーバなどインターネットに公開しなければならないサーバは、DMZに設置するのが望ましいとされています。仮に公開するサーバが直接攻撃されても、内部ネットワークにまで被害が及ぶ可能性は少ないです。

【DMZのイメージ】

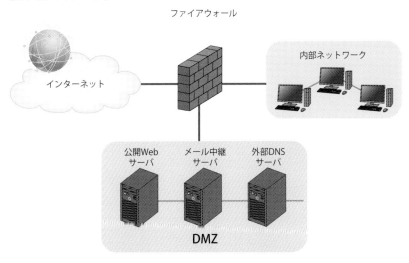

3 IDS（Intrusion Detection System）

IDSは、不正アクセスを監視する侵入検知システムです。事前に不正アクセス検出ルールを設定し、それに基づいて侵入を検知します。

ファイアウォールを用いても、それだけですべての不正アクセスを遮断できるとは限りません。IDSはファイアウォールで遮断できない攻撃に対して、現在のアクセス状況を監視し不正アクセスを検出する機能をもちます。IDSはその監視方法によって、ネットワーク型のIDSとホスト型のIDSに分類されます。

 セキュリティ対策を強固なものにするためには、ファイアウォール、IDS（ネットワーク型・ホスト型ともに）両者を併用して配置することが望ましいです。

【IDSのイメージ】

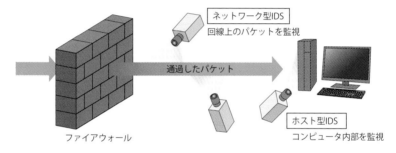

ネットワーク型IDS
回線上のパケットを監視

通過したパケット

ファイアウォール

ホスト型IDS
コンピュータ内部を監視

？ 過去問にチャレンジ！　　　　　　　　　　　　　　令和5年度第22問改題

a、bの記述の説明に該当する用語はどれか。

a　ネットワークへの不正侵入を監視し、不正侵入を検知した場合に管理者に通知するシステム

b　インターネット上に公開されたサーバへの不正アクセスを防ぐため、外部ネットワークと内部ネットワークの中間に設けられたネットワーク上のセグメント

［解答群］
IDS、IPS、WAF、DMZ、SIEM

a：IDS　b：DMZ

クラウドコンピューティング

中小企業診断士試験第1次試験案内の、「試験科目設置の目的と内容」にある"Webコンピューティング"は、一般的にクラウドコンピューティングとよばれます。端末の機能やインターネット環境が向上し、インターネット上の仕組みを簡単に利用できる現代だからこそ、活用できるようになった技術です。

1 クラウドコンピューティング　インターネットからサービスを提供！

　以前はオフィスソフトや会計ソフトなどのアプリケーションを使いたい場合は、販売店でソフトウェアを購入し、自分のパソコンにインストールして使用するのがほとんどでした。現在では、ソフトウェア自体を購入するのではなく、毎月の利用料を払ってパソコンやスマートフォンなど端末を問わずに使えるサブスクリプション※モデルのソフトウェアが増えています。この新しい形態のソフトウェアを支えているのが**クラウドコンピューティング**です。

　クラウドコンピューティングは、あたかも雲から何かが降ってくるかのようなイメージであり、インターネット上のどこか（雲）にあるソフトウェアが、私たちのパソコンやスマートフォン、タブレットなどの端末にサービスを提供してくれる仕組みです。

用語　▶　サブスクリプションとは？

利用するソフトウェアやサービスなどの範囲や利用する期間に応じて課金する方法です。手軽に始められ、初期費用が抑えられるメリットがあります。
契約期間中は定められた商品やサービスを自由に利用できますが、期間が過ぎれば利用できなくなるのが一般的です。

第6章　経営情報システム

【クラウドコンピューティング】

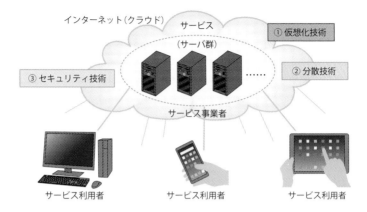

〈ユーザのメリット〉

・端末や場所を問わずにインターネットさえつながっていれば使えるため利便性が高い

・初期投資が抑えられる（ソフトウェアの開発や一括購入が不要）

・システムの利用量に合わせて柔軟にサービスを変更できる

1 クラウドコンピューティングを支える技術

クラウドコンピューティングを支える技術として、次の3つがあります。

板書 クラウドコンピューティングを支える技術

①仮想化技術

ハードウェア・ソフトウェア・ネットワークなど、物理的なシステム構成に依存することなくシステムを利用できる技術

☆この技術があるため、場所や端末を問わずに便利に利用できる

---

② 分散技術

複数のコンピュータを連携させて、1つのものとして動作させる技術

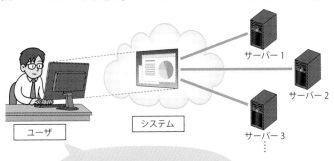

サーバー1

サーバー2

サーバー3

ユーザ

システム

ユーザから見ると1つのシステムだが、仕組み上は複数のサーバの上でシステムが動く

③ セキュリティ技術

インターネットなど、不特定多数の利用者が存在するネットワークで安全にデータをやり取りするための技術

2 クラウドコンピューティングの分類

❶ サービス提供範囲による分類

　クラウドコンピューティングはサービス事業者が提供するサービスをユーザが利用するものですが、提供されるサービスの範囲により次の3階層に分かれます。

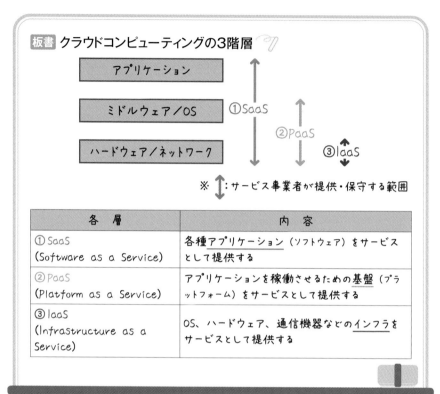

板書 クラウドコンピューティングの3階層

| アプリケーション |
| ミドルウェア／OS |
| ハードウェア／ネットワーク |

①SaaS
②PaaS
③IaaS

※ ⇕：サービス事業者が提供・保守する範囲

各　層	内　容
① SaaS (Software as a Service)	各種アプリケーション（ソフトウェア）をサービスとして提供する
② PaaS (Platform as a Service)	アプリケーションを稼働させるための基盤（プラットフォーム）をサービスとして提供する
③ IaaS (Infrastructure as a Service)	OS、ハードウェア、通信機器などのインフラをサービスとして提供する

❷　利用環境による分類

　クラウドコンピューティングの利用環境により、**パブリッククラウドとプ
ライベートクラウド**に分類されます。

①　パブリッククラウド

　業界・業種を問わず企業や個人に向けてクラウド環境を提供するオープン
な形態です。プライベートクラウドの登場により、その対義語として用いら
れるようになりました。

②　プライベートクラウド

　企業が自社専用のクラウド環境を構築し、社内の各部署やグループ会社に
提供する形態です。社内にクラウド環境を構築する場合もあれば、サービス
事業者が提供するサービスを利用する場合もあります。主にセキュリティに

懸念がある場合や企業独自の機能を利用したい場合などに用いられます。

令和2年度第13問エ

？　過去問にチャレンジ！

　サーバの仮想化とは、サーバ上で複数のOSとソフトウェアを利用できるようにすることであるが、物理的なサーバは1台に限られる。

> ✕　サーバの仮想化とは、物理的な1台のサーバ上で複数の仮想的な
> サーバを運用することであるが、物理的なサーバは1台に限られ
> るわけではない。

「地方の旅行手配業者が直面する課題：IT技術でさらなる飛躍」

　地方都市にある旅行手配業者「サクラツアーズ」は、創業当初からフリーメールを活用して業務を行ってきた。創業から10年が経った今でも、電話やメールを使ってお客様からの予約を受け付けている。しかし、最近になって迷惑メールが急増し、重要な受注メールが迷惑メールに埋もれる事態が起きていた。さらには、大事な取引メールが迷惑メールフォルダに振り分けられることもあり、業務に支障が出るようになった。

　社長はITに関する知識があまりなく、この問題をどう解決すればよいか悩んでいた。そんな時、中小企業診断士が助言をくれた。

　まず診断士は、フリーメールでもフォルダの振分ルールを設定することで、大事なメールを見落とさないように工夫できると教えてくれた。また、フリーメールから送信されるメールが、受信側で迷惑メールと判断されるリスクもあることを指摘した。このリスクを減らすために、近い将来ドメインを開設し、独自のメールアドレスを使うことを勧めた。

　さらに、診断士は「サクラツアーズ」がもっと成長するためには、メールのやり取りだけに頼らず、お客様が情報を入力できるフォームを導入することを提案した。これにより、お客様の情報や注文内容、経費などを一元管理できるシステムを導入し、業務の効率を上げることができると助言した。

　この助言を受けた社長は、まずフォルダ振分ルールの設定から始めた。そして、次に独自ドメインの開設とメールアドレスの取得を計画し始めた。将来的には、総合的な情報管理システムを導入し、より効率的で効果的な業務運営を目指している。「サクラツアーズ」はこれからも、お客様に最高の旅行体験を提供し続けるため、新しいIT技術の導入を進めていくことだろう。

(F)

第7章

中小企業経営・中小企業政策

Section 1　中小企業経営

Section 2　中小企業政策

診断士試験で中小企業経営・政策について学習するのはなぜ?

中小企業経営・中小企業政策は、科目名だけでは「何をやるの?」と不思議に思う方も多いでしょう。この科目は他の国家資格にはない、診断士らしいユニークな科目です。内容は大きく「経営」と「政策」の2本の柱に分かれています。

　1本目の柱「経営」は、主に毎年中小企業庁から発行される「中小企業白書」と「小規模企業白書」から出題されます。「中小企業白書」は中小企業に関するさまざまな調査・分析を掲載しています。たとえば中小企業の数や従業員数、開業率、廃業率、倒産件数……などです。中小企業を取り巻くあらゆるデータについて出題することで、「中小企業が置かれている現状と課題をきちんと把握できているか?」を問うています。

　2本目の柱「政策」は、国が行っている中小企業支援策や法律から主に出題されます。

　企業の規模や成長段階に合わせた支援策を国はたくさん用意しています。たとえば、起業しようと考えている人に向けた融資や、事業承継を進めたい会社に対する税の優遇措置などです。さまざまな支援策があることを中小企業の経営者に知ってもらい、活用してほしいと国は考えています。そこで、支援策の利用に必要な手続き・規定についての知識を問うのが「政策」の主な出題内容です。

　この科目は、診断士試験の科目のなかでは覚えることが多く、暗記科目の代表選手のようにいわれています。たしかに数字や用語を覚えないと解けない問題が多くありますが、企業支援の実務に役立つ知識が多いのも特徴です。試験合格後にこの科目で学習した知識を使って企業を支援している姿をイメージして、学習のモチベーションにつなげましょう。

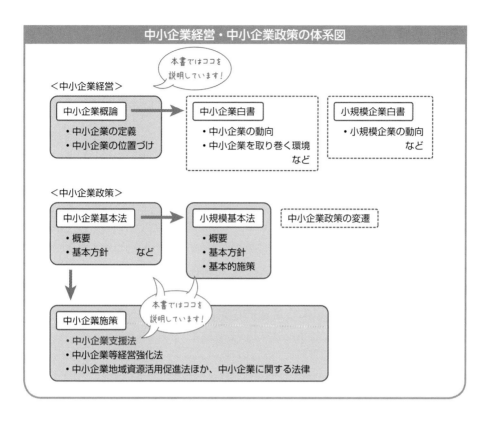

中小企業経営・中小企業政策の体系図

＜中小企業経営＞

本書ではココを
説明しています！

| 中小企業概論 |
| • 中小企業の定義 |
| • 中小企業の位置づけ |

中小企業白書
• 中小企業の動向
• 中小企業を取り巻く環境
　　　　　　　　など

小規模企業白書
• 小規模企業の動向
　　　　　　など

＜中小企業政策＞

中小企業基本法
• 概要
• 基本方針　　　など

小規模基本法
• 概要
• 基本方針
• 基本的施策

中小企業政策の変遷

中小企業施策
• 中小企業支援法
• 中小企業等経営強化法
• 中小企業地域資源活用促進法ほか、中小企業に関する法律

本書ではココを
説明しています！

中小企業経営

中小企業経営では、国の政策の対象となる中小企業の範囲や、経営特性を知る必要があります。中小企業白書から、中小企業の置かれている状況を各種統計資料により把握します。

1 中小企業とはどのような企業？ 中小企業の特徴を理解しよう！

中小企業の範囲を規定する場合、我が国では、中小企業基本法第2条において、資本金規模、従業員規模といった数値を基準として大企業との区分がされています。また、法的な定義ではありませんが、一般的な中小企業の特徴を見ることで、中小企業とはどのような企業なのかが理解できます。

1 中小企業基本法による定量的な定義

中小企業基本法では、中小企業の定義を業種別に、次のように定めています。

板書 中小企業基本法による中小企業の定義

	現在の定義
製造業、建設業、運輸業など	資本金3億円以下または 従業員数300人以下
卸売業	資本金1億円以下または 従業員数100人以下
小売業、飲食店	資本金5千万円以下または 従業員数50人以下
サービス業	資本金5千万円以下または 従業員数100人以下

なお、中小企業基本法では、**小規模企業者**を、常時使用する従業員※の数が20人以下（商業（卸売業、小売業、飲食店）・サービス業は5人以下）の事業者と定義しています。中小企業と異なり従業員数のみで判断します（資本金額の基準はありません）。

用語 → **常時使用する従業員とは？**

労働基準法第20条の規定に基づく「あらかじめ解雇の予告を必要とする者」を従業員と解しています。パート、アルバイト、派遣社員、契約社員、非正規社員および出向者については、当該条文をもとに個別に判断されます。
また、会社役員および個人事業主はあらかじめ解雇の予告を必要とする者ではないので、該当しないと解されます。

過去問にチャレンジ！ ━━━━━━━ 令和4年度第18問（設問1）改題

　中小企業基本法の定義によると、従業員数150人、資本金6千万円のサービス業は、中小企業に該当する。

> ✕　サービス業は、中小企業者の定義では資本金5千万円以下または従業員数100人以下かどうかで判定する。そうすると、資本金基準、従業員基準ともに満たしていないので、中小企業者に該当しない。

---

2 中小企業の定性的な特徴

　中小企業の定性的な特徴は、大企業と比較した相対的なものであり、すべての中小企業にあてはまるとはいえませんが、次のようなものがあげられます。

❶ 会社の所有と経営の非分離

　会社の所有と経営の分離は、株式会社の特徴のひとつです。しかし、中小企業においては、株式会社の形態を採っていても、少数の株主が株式を所有しており、多くはその株主が経営者となって経営を行っています。

【会社の所有と経営の非分離】

❷ 資金調達の非公開性

事業規模の小さい中小企業は、証券市場の上場基準を満たさない企業が多く、大半は証券市場からの資金調達を行うことが困難です。

❸ 事業活動の地域性

大企業に比べ、活動範囲が比較的狭い地域に限定されています。

❹ 特徴的な存立分野

大企業の下請や部品加工を行う電子部品・機械・金属関連や、地場産業に多い食料品、衣料、家具などの分野に中小企業が多く存立しています。

❺ 経営者、従業者の役割が大

経営者の裁量の余地が大きく、環境変化への対応の意思決定を経営者に大きく依存することがあります。また従業者は特定の業務に専門化するよりも、周辺・関連業務も行い、役割の範囲が広い傾向があります。

❻ 疑似資本

我が国の中小企業金融の特徴として疑似資本が多いことがあげられます。疑似資本とは、金融機関からの借入金の一部の借換え等により、実質的に返済資金を調達する必要がなく、中小企業にとって資本的性格を有する資金のことです。中小企業の自己資本を補完しているといわれています。

わが国の中小企業金融の特徴として、金融機関からの借入金でありながら、継続的な借換え等により、中小企業にとって事実上資本的性格を有すると認識されている資金の存在が指摘される。こうした資金を何と呼ぶか。

疑似資本
本来は負債（借金）でありながら、自己資本のような性格をもつので「疑似」という言葉が付く。

③ 中小企業の強みと弱み

一般に、中小企業は規模が小さいことから、弱さや不完全さのイメージをもたれますが、同時に大企業にない強みももっています。

板書 **中小企業の強みと弱み**

①中小企業の強み

①意思決定の迅速性
オーナー経営者が多いため、意思決定に対する他からの制約が少なく、意思決定を大胆に、迅速に行うことができる

②企業内のコミュニケーションの緊密性
規模が小さいので、経営トップと従業員、従業員間の人間関係が密であり、意思の疎通がスムーズ

②中小企業の弱み

経営資源の質・量が不十分
資金調達において借入れが困難で相対的に高金利であること、人材確保が困難、情報の遅れなど

中小企業の位置づけ　日本企業の99.7%が中小企業！

　中小企業は我が国の経済・産業に大きな影響を与えています。その影響力を企業数、従業員数など各種統計資料（中小企業白書2024年版※）で見てみましょう。

用語 ▶ 中小企業白書とは？

中小企業白書とは、中小企業基本法第11条に基づく、中小企業の動向および政府が中小企業に関して講じた施策に関する年次報告書です。政府は、毎年国会に対して年次報告書（中小企業白書）を提出しなければなりません。

---

1 中小企業の企業数

　中小企業は国内の企業全体（会社数＋個人事業者数）の**99.7%**を占めています。大企業は0.3%程度しかありません。その他の企業数についてのポイントは以下のとおりです。

板書 中小企業の事業所・企業数

中小企業

☆企業数が多い順に並べると
　↳①「小売業」→②「建設業」→③「宿泊業、飲食サービス業」

小規模企業

☆企業全体の84.5%を占めている
☆企業数が多い順に並べると
　↳①「小売業」→②「建設業」→③「宿泊業、飲食サービス業」

〈産業別規模別企業数（民営、非一次産業、2021年）〉
企業数（会社数＋個人事業者数）

産　業		中小企業			
				うち小規模企業	
		企業数	構成比 （％）	企業数	構成比 （％）
建設業		② 424,976	99.9	② 403,449	94.9
製造業		335,552	99.4	283,297	83.9
電気・ガス・熱供給・水道業		5,273	99.2	4,925	92.6
情報通信業		55,174	99.0	37,611	67.5
運輸業、郵便業		64,886	99.7	45,211	69.4
卸売業、 小売業	卸売業・小売業計	729,570	99.5	571,468	78.0
	卸売業	202,432	99.3	144,201	70.7
	小売業	① 527,138	99.6	① 427,267	80.7
金融業、保険業		28,647	99.0	27,341	94.5
不動産業、物品賃貸業		324,197	99.9	316,400	97.5
学術研究、専門・技術サービス業		202,747	99.6	173,981	85.5
宿泊業、飲食サービス業		③ 424,543	99.9	③ 365,011	85.9
生活関連サービス業、娯楽業		330,461	99.9	307,420	92.9
教育、学習支援業		94,060	99.9	81,851	86.9
医療、福祉		205,710	99.9	138,480	67.2
その他（鉱業、採石業、砂利採取業・ 複合サービス事業・サービス業（他に 分類されないもの））		139,095	99.2	96,911	69.1
非一次産業計		3,364,891	99.7	2,853,356	84.5
	うち会社数	1,746,540	99.4	1,331,783	75.8
	うち個人事業者数	1,618,351	100.0	1,521,573	94.0

資料：総務省「平成26年経済センサス‐基礎調査」、
　　　総務省・経済産業省「平成24年、28年、令和３年経済センサス‐活動調査」再編加工
※大企業の数値は割愛しています。

（「中小企業白書2024年版」中小企業庁編　P.598-599をもとに作成）

2 中小企業の従業者数

　中小企業で働く従業者数の占める割合についても見ていきましょう。ここでは企業ベースの「会社および個人の従業者総数」のデータを取り上げます。

板書 中小企業の従業者数

・中小企業の従業者数：総数の69.7％（約7割）

・小規模企業の従業者数：総数の20.5％（約2割）

中小企業

☆従業者の数が多い順に並べると

　↳①「製造業」→②「小売業」→③「宿泊業、飲食サービス業」

☆構成比（その業種における従業者総数合計に占める中小企業の従業者総数の割合のこと）は

　↳「医療、福祉」が最も高い

小規模企業

☆従業者の数が多い順に並べると

　↳①「建設業」→②「製造業」→③「小売業」

☆構成比（その業種における従業者総数合計に占める小規模企業の従業者総数の割合のこと）も

　↳「建設業」が最も高い

〈産業別規模別従業者総数（民営、非一次産業、2021年）〉
企業ベース（会社及び個人事業者の従業者総数）

産　業	中小企業		うち小規模企業	
	従業者総数（人）	構成比（%）	従業者総数（人）	構成比（%）
建設業	3,339,900	88.6	①2,090,255	55.4
製造業	①6,185,371	64.9	②1,627,569	17.1
電気・ガス・熱供給・水道業	60,117	28.2	13,669	6.4
情報通信業	1,209,580	63.2	122,874	6.4
運輸業、郵便業	2,340,447	74.6	356,643	11.4
卸売業、小売業　卸売業・小売業計	6,917,684	65.6	1,572,025	14.9
卸売業	2,455,090	75.0	456,848	14.0
小売業	②4,462,594	61.4	③1,115,177	15.3
金融業、保険業	228,025	18.1	106,583	8.5
不動産業、物品賃貸業	1,242,462	81.0	786,266	51.3
学術研究、専門・技術サービス業	1,121,619	69.9	443,998	27.7
宿泊業、飲食サービス業	③3,401,140	78.1	1,054,376	24.2
生活関連サービス業、娯楽業	1,629,655	82.0	658,135	33.1
教育、学習支援業	574,850	83.0	171,389	24.7
医療、福祉	1,930,194	89.4	428,021	19.8
その他（鉱業、採石業、砂利採取業・複合サービス事業・サービス業（他に分類されないもの））	2,917,398	61.0	294,119	6.1
非一次産業計	33,098,442	69.7	9,725,922	20.5
うち会社の従業者総数	28,591,674	66.6	6,369,561	14.8
うち個人事業者の従業者総数	4,506,768	99.6	3,356,361	74.1

資料：総務省「平成26年経済センサス・基礎調査」、
　　　総務省・経済産業省「平成24年、28年、令和3年経済センサス・活動調査」再編加工
※大企業の数値は割愛しています。

（「中小企業白書2024年版」中小企業庁編　P.600-601をもとに作成）

　総務省「令和3年経済センサスー活動調査（民営、非一次産業、2021年）」に基づくと、中小企業のうち小規模企業は、わが国の企業数の約　A　割強、会社および個人事業所の従業者総数の約　B　割を占めており、非常に重要な存在である。

　文中の空欄AとBに入る数値を答えよ。

A **8** B **2**

企業数や従業者数に関する問題は頻出論点です。

中小企業政策

　中小企業政策では、中小企業に関連する法律や支援策について理解・把握していきます。本試験で出題されるであろうテーマが、絞りやすいのが特徴です。頻出論点を中心に押さえていきましょう。

1 中小企業基本法　　　中小企業政策の憲法にあたる法律!

　中小企業基本法は、中小企業政策の憲法ともいうべき法律です。

　中小企業を取り巻く環境変化に対応するために、この法律を基に、さまざまな中小企業政策が行われています。

1 法の目的（中小企業基本法第1条）

　この法律の目的は、中小企業政策について基本理念・基本方針などを定めるとともに、国および地方公共団体の責務などを規定することにより中小企業に関する施策を総合的に推進し、国民経済の健全な発展および国民生活の向上を図ることとしています。

2 中小企業者の範囲（中小企業基本法第2条）

　中小企業者の範囲は、業種ごとに資本金額、従業者数が中小企業基本法第2条において定量的に決められています。**資本金額**か**従業員数**のどちらかの条件が満たされていれば、中小企業者と認定されます（298ページの **板書** 参照）。

3 基本理念

❶ 中小企業基本法第3条1項

　中小企業基本法の基本理念では、まず中小企業を「**多様な事業の分野において特色ある**事業活動を行い、**多様な就業の機会**を提供し、個人がその能力を発揮しつつ事業を行う機会を提供することにより我が国の経済の基盤を形成しているもの」と位置づけています。

　そして、多数の中小企業者が**創意工夫を生かして**経営の向上を図るための

事業活動を行うことを通じて、

> 1）新たな産業の創出
> 2）就業の機会の増大
> 3）市場における競争の促進
> 4）地域における経済の活性化

など、我が国経済の活力の維持と強化に果たすべき重要な役割を担うことを期待しています。

　このために国は、「多様で活力ある中小企業の成長発展」を実現するために、独立した中小企業者の自主的な努力を前提としつつ、経営の革新および創業の促進、経営基盤の強化、経済的社会的環境の変化への適応の円滑化を図るため、中小企業に関する施策を総合的に策定し、実施する責務を有するとしています。

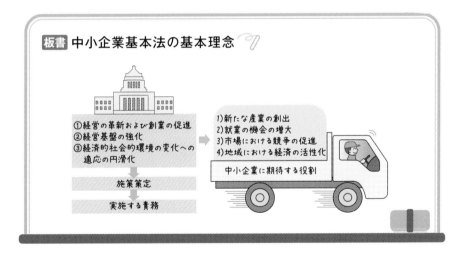

❷　中小企業基本法第３条２項

　小規模企業の活性化を図るため、平成25年9月に中小企業基本法が改正され、以下の条文が基本理念に追加されました。

　「中小企業の多様で活力ある成長発展に当たっては、小規模企業が、地域

の特色を生かした事業活動を行い、就業の機会を提供するなどして地域における経済の安定並びに地域住民の生活の向上及び交流の促進に寄与するとともに、創造的な事業活動を行い、新たな産業を創出するなどして将来における我が国の経済及び社会の発展に寄与するという重要な意義を有するものであることに鑑み、独立した小規模企業者の自主的な努力が助長されることを旨としてこれらの事業活動に資する事業環境が整備されることにより、小規模企業の活力が最大限に発揮されなければならない。」

4 基本方針（中小企業基本法第5条）

基本理念をふまえ、中小企業施策において、特に重点的に支援をしていく施策対象および事業活動の支援を、以下の基本方針として規定しています。

❶ 中小企業の経営の革新および創業の促進（ならびに創造的な事業活動の促進）

経営の革新※の促進、創業の促進、創造的な事業活動※の促進を積極的に支援することとしています。経営の革新とは新商品や新役務を開発、提供することのほか、生産や販売を効率化するための方式の導入なども含みます（ 用語 参照）。また、創業に関しては情報の提供、研修の充実、創業資金の円滑な供給に必要な施策を講ずるものとしています。

❷ 中小企業の経営基盤の強化

大企業と比べて脆弱な中小企業の経営基盤の強化のため、必要な経営資源※を補完するための施策を講じています。たとえば中小企業の技術向上に向けた研究開発支援や、情報通信技術の活用、海外展開などの支援です。

また中小企業が不当に不利な扱いを受けることがないよう公正な市場の確保に努めることや、国等からの受注機会の増大に向けて必要な施策を講ずるものとしています。

❸ 経済的社会的環境の変化への適応の円滑化

貿易構造の変化、大規模な天災、人災等の不測の事態や経済的社会的環境の変化によって、中小企業者は大きな影響を受け、事業活動に著しい支障が

生じるおそれがあります。このような事態によって、中小企業者が倒産することなどを防ぐため、セーフティネット的な措置を講じています。

　たとえば取引先企業の倒産によって中小企業者が連鎖倒産しないよう、共済制度を整備するなどです。

❹　資金の供給の円滑化および自己資本の充実

　上記３つの基本方針の柱の土台として規定されています。

用語 ▶ **中小企業基本法第２条で定義されている「経営の革新」「創造的な事業活動」「経営資源」とは？**

・経営の革新：新商品の開発または生産、新役務の開発または提供、商品の新たな生産または販売の方式の導入、役務の新たな提供の方式の導入、新たな経営管理方法の導入その他の新たな事業活動を行うことにより、その経営の相当程度の向上を図ることをいいます。

・創造的な事業活動：経営の革新または創業の対象となる事業活動のうち、著しい新規性を有する技術または創造的な経営管理手法を活用したものです。いわゆるベンチャー企業の事業活動といえます。

・経営資源：設備、技術、個人の有する知識および技能その他の事業活動に活用される資源です。

板書 中小企業基本法の基本方針の体系

❶ 中小企業の経営の革新および創業の促進	❷ 中小企業の経営基盤の強化	❸ 経済的社会的環境の変化への適応の円滑化
◆ 経営の革新の促進 ◆ 創業の促進 ◆ 創造的な事業活動の促進	◆ 人材・技術・情報等経営資源確保の円滑化 ◆ 取引の適正化	◆ 環境の変化に応じた経営の安定および事業転換の円滑化等

❹ 資金の供給の円滑化および自己資本の充実

板書 中小企業基本法の体系

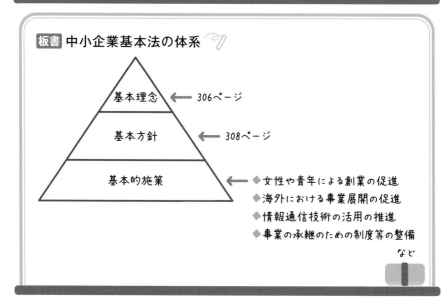

基本理念 ← 306ページ

基本方針 ← 308ページ

基本的施策 ←
◆ 女性や青年による創業の促進
◆ 海外における事業展開の促進
◆ 情報通信技術の活用の推進
◆ 事業の承継のための制度等の整備

など

5 政府の役割

中小企業基本法は、第9〜11条において次のように「政府の役割」を示しています。

板書 政府の役割

①法制上の措置等（第9条）

↳ 政府は、中小企業に関する施策を実施するため必要な法制上、財政上および金融上の措置を講じなければならない

②調査（第10条）

↳ 政府は、中小企業政策審議会の意見を聴いて、定期的に、中小企業の実態を明らかにするため必要な調査を行い、その結果を公表しなければならない

③年次報告等（第11条）

↳ 政府は、毎年、国会に、中小企業の動向および政府が中小企業に関して講じた施策に関する報告を提出しなければならない

❓ 過去問にチャレンジ！ ━━━━━━ 令和元年度第13問（設問2）改題

中小企業基本法の基本方針に関して、<u>最も不適切なもの</u>はどれか。

ア　経営の革新及び創業の促進を図ること
イ　経済的社会的環境の変化への適応の円滑化を図ること
ウ　地域における多様な需要に応じた事業活動の活性化を図ること
エ　中小企業の経営基盤の強化を図ること

ウ 第5条の基本方針にこのような内容は書かれていない。

中小企業の中でも約9割を占める小規模企業は、地域の経済や雇用を支える重要な存在です。しかしながら、小規模企業は人口減少、地域経済の低迷等の構造変化に直面し、売上げや事業者数の減少等の課題を抱えています。そこで、中小企業基本法の基本理念にのっとりつつ、小規模企業に焦点をあてた施策を一歩進める観点から、2014年にこの法律が成立しました。

1 概 要

小規模企業の振興の基本原則として、**小企業者**（おおむね従業員5人以下）を含む小規模企業について、中小企業基本法の基本理念である「成長発展」のみならず、技術やノウハウの向上、安定的な雇用の維持等を含む「**事業の持続的発展**」を位置づけています。

また、小規模企業施策について**5年間**の基本計画（小規模企業振興基本計画）を内閣が定め、政策の継続性・一貫性を担保する仕組みを作ります。

2 基本方針

以下の4つを基本方針として掲げています。

板書 小規模基本法の基本方針

1 国内外の多様な需要に応じた商品の販売または役務の提供の促進および新たな事業の展開の促進

2 小規模企業の経営資源の有効な活用ならびに小規模企業に必要な人材の育成および確保

3 地域経済の活性化ならびに地域住民の生活の向上および交流の促進に資する小規模企業の事業活動の推進

4 小規模企業への適切な支援を実施するための支援体制の整備等

4つの目標と12の重点施策を設定しています。

小規模企業振興基本計画	
4つの目標	**12の重点施策**
1．需要を見据えた経営の促進	①ビジネスプラン等に基づく経営の促進 ②需要開拓に向けた支援 ③新事業展開や高付加価値化の支援
2．新陳代謝の促進	④多様な小規模事業者（フリーランスなど）の支援 ⑤起業・創業支援 ⑥事業承継・円滑な廃業 ⑦人材の確保・育成
3．地域経済の活性化に資する事業活動の推進	⑧地域経済に波及効果のある事業の推進 ⑨地域のコミュニティを支える事業の推進
4．地域ぐるみで総力を挙げた支援体制の整備	⑩国・地方公共団体・支援機関の連携強化とエコシステムの構築 ⑪手続きの簡素化・施策情報の提供 ⑫事業継続リスクへの対応能力の強化

過去問にチャレンジ！ ――――――――― 平成27年第14問（設問2）改題

　小規模基本法において政府は、小規模企業をめぐる情勢の変化などを勘案し、おおむね5年ごとに基本計画を変更するものとした。

○　小規模基本法の概要どおりである。

中小企業基本法と小規模基本法の基本方針は、それぞれ4つずつあります。比較して覚えましょう。

第7章　中小企業経営・中小企業政策

3 経営基盤の強化

中小企業の経営基盤は、大企業と比較して脆弱です。

ここでは、経営資源の確保に関する施策のうち、中小企業支援法と中小企業支援機関に関する内容を確認します。

1 中小企業支援法

中小企業支援法は、1999年の中小企業基本法の改正に合わせ、旧中小企業指導法から2000年4月に改正されました。中小企業診断士の根拠となっている法律でもあります。

2 中小企業支援機関による支援

中小企業の多様なニーズにきめ細かに応え、中小企業が抱える経営課題の解決や経営資源の円滑な確保のための的確な助言等が得られる支援体制として、**都道府県等中小企業支援センター**および**独立行政法人中小企業基盤整備機構**が設置されています。

❶ 都道府県等中小企業支援センター

都道府県等中小企業支援センターは、中小企業支援法に基づく指定法人で、都道府県および政令指定都市が行う中小企業支援事業の実施体制の中心です。中小企業の経営や技術などの専門分野において豊富な経験と知識を有している民間人材を配置し、中小企業者が経営資源を円滑に確保できるよう、さまざまな支援を行っています。

たとえば施策の利用や法律・会計など専門分野について相談できる窓口の設置、マーケティングや人材育成等経営に関するあらゆるセミナーや研修の実施などです。

❷ 中小企業基盤整備機構

中小企業基盤整備機構は、中小企業者その他の事業者の事業活動の活性化のための基盤の整備を行う独立行政法人です。全国9か所の地域本部（北海

道、東北、関東、北陸、中部、近畿、中国、四国、九州）および沖縄事務所において、さまざまな経営サポートを行っています。

　具体的には、創業や経営に関する相談窓口の設置や研修の実施、中小企業大学校の運営、小規模企業共済、中小企業倒産防止共済制度（経営セーフティ共済）の運営、中小企業向けファンドへの出資、ポータルサイト「J-Net21」「ミラサポ」の運営、各都道府県に設置されている「よろず支援拠点」の本部機能の役割などを担っています。

3 商工会・商工会議所

　商工会・商工会議所は、それぞれ商工会法、商工会議所法に基づき設立された認可法人であり、商工業の総合的な改善発達を図り、社会一般の福祉の増進に資することを目的とした地域の総合経済団体です。商工会は主に町村地域に約1,700か所、商工会議所は主に市地域に約500か所設立されています。

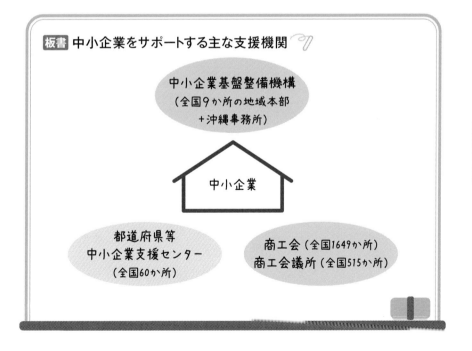

板書　中小企業をサポートする主な支援機関

中小企業基盤整備機構
（全国9か所の地域本部
＋沖縄事務所）

中小企業

都道府県等
中小企業支援センター
（全国60か所）

商工会（全国1649か所）
商工会議所（全国515か所）

第7章　中小企業経営・中小企業政策

4 中小企業向け融資制度　資金面で中小企業をバックアップ！

　中小企業への資金供給の施策として、さまざまな融資制度が用意されています。

1 経営環境変化対応資金（セーフティネット貸付）

　社会的、経済的環境の変化等外的要因により、一時的に売上の減少等業況悪化をきたしているが、中長期的にはその業況が回復し発展することが見込まれる中小企業者を対象とした融資制度です。**日本政策金融公庫**（国民生活事業・中小企業事業）が行います。

①対象	・最近の決算期における売上高が前期または前々期に比し５％以上減少している者 ・最近３か月の売上高が前年同期または前々年同期に比し５％以上減少しており、かつ、今後も売上減少が見込まれる者 ・社会的な要因による一時的な業況悪化により資金繰りに著しい支障をきたしている、またはきたすおそれのある者 など
②融資限度額	国民生活事業4,200万円 中小企業事業７億2,000万円
③利率（年）	基準金利
④設備資金	15年以内（うち据置期間３年以内）
⑤運転資金	８年以内（うち据置期間３年以内）

2 女性、若者／シニア起業家支援資金

　女性（注：年齢制限なし）、**若者**（**35**歳未満）、高齢者（**55**歳以上）の者であって、新規開業しておおむね**7年**以内の者を**優遇金利**で支援する制度です。**日本政策金融公庫**が行います。

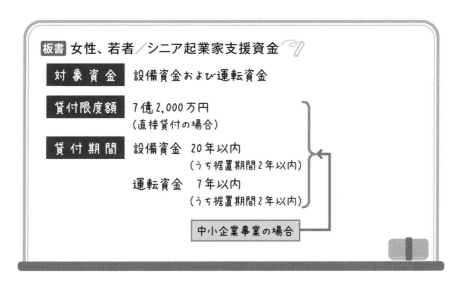

3 小規模事業者経営改善資金融資制度（マル経融資）

　小規模企業者を対象に日本政策金融公庫が行う、無担保・無保証人・低利（基準金利より低い）の融資制度です。

①貸付対象者	**常時使用する従業員が20人以下**（商業・サービス業の場合は5人以下。ただし、宿泊業・娯楽業は20人以下）の法人・個人事業主
②融資の要件 （通常枠）	①商工会・商工会議所の経営指導員による経営指導を原則**6か月以上**受けていること ②義務納税額をすべて完納していること ③原則として同一地区内で**1年以上**事業を行っていること ④商工業者であり、かつ日本政策金融公庫の非対象業種でないこと
③対象資金	設備資金および運転資金
④貸付限度額	2,000万円（1,500万円超の貸付けを受けるには、貸付前に事業計画を作成し、貸付後に残高が1,500万円以下になるまで、経営指導員による実地訪問を半年毎に1回受ける必要がある）
⑤貸付期間	設備資金10年以内、運転資金7年以内 （据置期間は設備資金が2年以内、運転資金が1年以内）

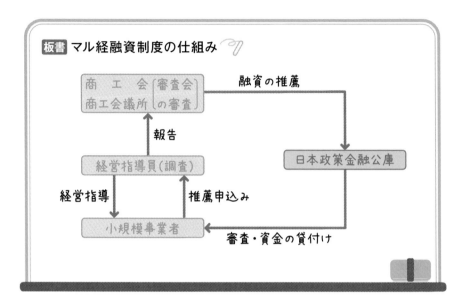

板書 マル経融資制度の仕組み

商工会
商工会議所 〔審査会の審査〕 ── 融資の推薦 ──→

↑ 報告

経営指導員(調査) ───→ 日本政策金融公庫

経営指導 ↓ ↑ 推薦申込み

小規模事業者 ←── 審査・資金の貸付け ──

？ 過去問にチャレンジ！ ──────── 令和3年度第26問(設問2)改題

　小規模事業者経営改善資金融資制度（マル経融資）の融資対象となるには、商工会・商工会議所の経営指導員による経営指導を原則 A 受けていることや、原則として同一の商工会等の地区内で B ことなどの条件があります。

　文中の空欄AとBに入る語句を答えよ。

| A　6か月以上　B　1年以上事業を行っている |

「中小企業政策の実践：社長の挑戦と成長の軌跡」

　ある日のこと、輸入と卸売業を営む社長は、自宅の一室でパソコンに向かいながら、自分の成長を振り返っていた。彼が個人事業主として海外製品の輸入と卸売業を始めたのはわずか3年前のことである。

　最初は苦労が絶えなかった。取引先との信頼関係を築くのに時間がかかり、海外製品をいかにして国内市場に受け入れてもらうか、試行錯誤の日々が続いた。しかし、社長の努力は実を結び、彼の取り扱う製品は市場で高い評価を得るようになった。昨年、ついに売り上げが1億円を超えた。

　その成功の影響は大きかった。社長は知り合いのお子さんを正社員として雇用し、事業拡大に向けた新たな一歩を踏み出した。彼の事業は増収増益を続け、納税額も年々増加していった。

　ある日、社長は中小企業診断士から助言を受ける機会を得た。診断士は社長の事業の成功を称えつつ、今後の経営に役立つアドバイスをいくつか提供した。

　まず、将来の退職金のために「小規模企業共済」を活用した節税対策を提案された。社長のような個人事業主にとって、これは毎月の掛け金が全額所得控除の対象となり、将来の安心につながるというのだ。

　さらに、診断士は「経営セーフティ共済」の活用も勧めた。この制度は、取引先が倒産した場合のリスクを軽減するもので、社長の事業が安定して成長を続けるための一助となると説明した。

　最後に、「中小企業退職金共済制度」を活用することで、従業員の退職金を確保する方法を提案された。社長はすでに社員を雇用しており、この制度を利用することで、従業員のモチベーション向上にもつながると考えた。

　さまざまな制度を知り、社長の頭の中には、新たな目標と夢が広がったのであった。

(F)

第7章　中小企業経営・中小企業政策

索　引

企業経営理論

運営管理

経営法務

経営情報システム

中小企業経営・政策

MEMO

MEMO

【編集執筆者紹介】（50音順）

小口　真和（こぐち　まわ）

中小企業診断士。一級販売士。関西学院大学卒業後、㈱日経BPにて中小企業向けビジネス情報誌の編集部に所属。その後、外資系出版社を経て、現在はシンクタンクにてCSR、ESG分野のコンサルティングに従事。ほかに、創業・マーケティング支援や研修講師などを行っている。TAC中小企業診断士講座専任講師。

鈴木　伸介（すずき　しんすけ）

中小企業診断士。早稲田大学理工学部卒業。TAC中小企業診断士講座専任講師。教育サービス企業にて人事・秘書を歴任し、その後、外資系金融機関の営業職を経て、2009年に中小企業診断士資格の取得を機に独立。企業のデータ分析など、数学的な側面からコンサルティングを行っている。

仲田　俊一（なかた　しゅんいち）

中小企業診断士。千葉大学大学院卒業。広告業界でWEBマーケティングの業務を経て、中小企業診断士として独立。その後、地方公務員として3年ほど勤務。現在では、中小企業だけでなく、自治体のマーケティング支援も行う。インスタ好きが高じて、インスタセミナー依頼が多数。TAC中小企業診断士講座専任講師。

古山　文義（ふるやま　ふみよし）

中小企業診断士。社会保険労務士。ITコーディネータ。大学卒業後、国内SIerに入社し官公庁系のシステム開発に従事。その後独立し、現在都内を中心に中小企業のコンサルティングやセミナー・研修などの活動をしている。難しいことをやさしく説明することがモットー。TAC中小企業診断士講座専任講師。

松本　真也（まつもと　しんや）

中小企業診断士。ICU国際基督教大学卒業。芸能プロダクションのアーティストマネージャーとしてキャリアをスタート。その後、Web業界大手に転じ、広告プランナー、人事、経営企画、新規事業開発など幅広く経験を積む。現在は、テクノロジーのわかる診断士として、エンタメ業界やクリエイティブ業界での起業や事業成長をサポートしている。TAC中小企業診断士講座専任講師。

ほか2名

編集協力：滝澤ななみ

みんなが欲しかった！ 中小企業診断士シリーズ

2025年度版
みんなが欲しかった！中小企業診断士 合格へのはじめの一歩

（入門テキスト 2011年3月3日 初版 第1刷発行）
2024年8月9日 初 版 第1刷発行

編 著 者　Ｔ Ａ Ｃ 株 式 会 社
　　　　　（中小企業診断士講座）
発 行 者　多　田　敏　男
発 行 所　ＴＡＣ株式会社　出版事業部
　　　　　（ＴＡＣ出版）

〒101-8383
東京都千代田区神田三崎町3-2-18
電 話 03（5276）9492（営業）
FAX 03（5276）9674
https://shuppan.tac-school.co.jp

組 版　株式会社 グ ラ フ ト
印 刷　株式会社 ワ コ ー
製 本　東京美術紙工協業組合

© TAC 2024　　Printed in Japan

ISBN 978-4-300-11396-7
N.D.C. 335

中小企業診断士講座のご案内

合格する人は使ってる。TACの

まずは、試験の概要を知る
（無料セミナー・ガイダンス）

中小企業診断士の魅力とその将来性や、試験概要を把握したうえでの効率的・効果的な学習法等を紹介します。ご自身の学習計画の参考として、ぜひご覧ください。

TAC 診断士 動画　検索

https://www.tac-school.co.jp/kouza_chusho/tacchannel.html

試験問題を詳しく理解する
（本試験分析会）

試験を熟知したTAC講師陣が試験の出題傾向を分かり易く解説。受験生では把握しづらい試験のポイントを効率的に理解することができます。

TAC 診断士 分析　検索

https://www.tac-school.co.jp/kouza_chusho/tacchannel.html

試験問題に挑戦してみる
（TAC動画チャンネル）

試験問題の出題の仕方や内容を知ったうえで学習することが効果的な学習に繋がります。
TACの講師が前回の試験問題を分かり易く解説します。

TAC 診断士 挑戦　検索

https://www.tac-school.co.jp/kouza_chusho/tacchannel.html

効果的な学習法を学ぶ
（TAC特別セミナー）

TACでは、どの時期にどのような学習をしなければいけないのかを丁寧に解説したセミナー・イベントをTACの校舎やWebで適時開催しています。

TAC 診断士 セミナー　検索

https://www.tac-school.co.jp/kouza_chusho/tacchannel.html

サポートサービスを活用しよう!

モチベーションを高める
(将来の選択肢 ～合格者のその後～)

将来、中小企業診断士に合格して何ができるのか?合格者のその後を取材した記事を読んで合格後の夢を広げてモチベーションを高めましょう!

TAC 診断士とは **検索**

https://www.tac-school.co.jp/kouza_chusho/chusho_sk_idx.html

TACのYoutube動画
(得する情報を提供中)

TACでは、Youtubeでも学習法や試験解説、実務家インタビュー等の動画を配信しています。是非、チャンネル登録してチェックしてみてください。

TAC 診断士 youtube **検索**

https://www.youtube.com/@tac3644/videos

TAC中小企業診断士講座「第1回目講義」オンライン無料体験!
各コースの「第1回目」の講義が体験できます!

「体験Web受講」では、既にご入会されている受講生と同じWeb学習環境(TAC WEB SCHOOL)にて講義をご視聴いただけます。サンプルテキストを用意していますので、講義とあわせて教材の内容も確認してみてください。

独学では理解しづらかったり時間がかかる内容もポイントを押さえてスムーズに理解できるから短期合格できる

TAC 診断士 体験 **検索**

https://www.tac-school.co.jp/kouza_chusho/web_taiken_form.html

中小企業診断士講座のご案内

ストレート合格を目指す!
TACを選ぶメリット。それは"効率性"!

学習効果が高まるよう編成された質の高いカリキュラム・講師・教材で構成されるTACのコースを受講することで、無理なく実力をつけることができ、効率的に1・2次試験のストレート合格を狙えます。

戦略的カリキュラム
INPUT&OUTPUTの連動・繰返し学習が効果的!
ムリ・ムダを省いた必要十分な学習量!

専門校を利用するメリット!

2次試験合格の秘訣
スケールメリットが合格の可能性を高める!
新作演習問題・添削指導も充実!

充実のフォロー体制
安心して学習できる環境を整備!
学習メディア別に充実したサポート!

全科目のINPUT(知識習得)とOUTPUT(問題演習)を組み合わせたオールインワンコース「1・2次ストレート本科生」「1・2次速修本科生」を開講しています。

2025年合格目標コース　〜豊富なコース設定で効率学習をサポート〜

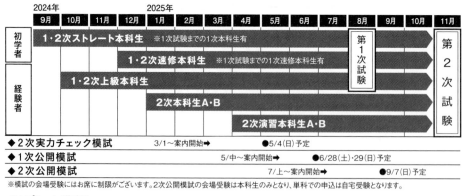

	2024年				2025年										
	9月	10月	11月	12月	1月	2月	3月	4月	5月	6月	7月	8月	9月	10月	11月

初学者
- 1・2次ストレート本科生 ※1次試験までの1次本科生有
- 1・2次速修本科生 ※1次試験までの1次速修本科生有

経験者
- 1・2次上級本科生
- 2次本科生A・B
- 2次演習本科生A・B

第1次試験　第2次試験

◆2次実力チェック模試　3/1〜案内開始➡　●5/4(日)予定
◆1次公開模試　5/中〜案内開始➡　●6/28(土)・29(日)予定
◆2次公開模試　7/上〜案内開始➡　●9/7(日)予定

※模試の会場受験にはお席に制限がございます。2次公開模試の会場受験は本科生のみとなり、単科での申込は自宅受験となります。

≪オプション講座≫　※名称は変更となる場合がございます。日程は予定です。
- ●1次重要過去問チェックゼミ(経営・財務・運営・経済)・・▶3/中旬案内開始
- ●1次「財務・会計」特訓ゼミ・・・・・・・・・・・・・・・・・▶3/中旬案内開始
- ●1次「経済学」解法テクニックゼミ・・・・・・・・・・・・・▶3/中旬案内開始
- ●2次事例Ⅳ特訓・・・・・・・・・・・・▶8/上旬案内開始
- ●2次事例別過去問対策講義・・▶8/上旬案内開始

※詳細は、案内開始時期にTACホームページおよび資料をご請求ください。

TAC中小企業診断士パンフレット

- 戦略的カリキュラム
- 学習メディア・フォロー制度
- 開講コース・受講料
- 無料体験入学のご案内

など

資格&試験ガイド

- 中小企業診断士の魅了
- 実務家インタビュー
- 試験ガイド
- 学習プラン

など

TAC合格者の声

祝賀会・東京会場

表面的な理解ではなく、根本から理解をすることができた

「財務・会計」が苦手で1年目に独学で勉強していた際には理解しないまま試験を受けておりました。そこでTACに通学し、わからない箇所を講師の方に聞くことで、表面的な理解ではなく、根本から理解をすることができました。また、講義の中で効率的な勉強方法をご教示いただき、勉強への取り組み方を身につけることができました。TACを選んだ理由は、①生徒数が多く、合格ノウハウが集まっている、②一次試験から二次口述試験までのカリキュラムが組まれているため、試験ごとの情報収集や模試の検討などの手間が省けると感じたからです。

長山 萌音さん

TACを活用し本来行うべき学習に集中して労力を割く

学習開始が12月上旬だったため、1,000時間の逆算が成り立たず、合格の為に効率を求めたこと、初回の受験で全体像を把握しながら学習ができるガイドラインや合格の為のノウハウを徹底的に仕入れたかったため、TACのWeb通信講座を受講しました。講義動画がリリースされるタイミングや、各科目のまとめテストの「養成答練」の提出期限も含め、すべてTACのノウハウに基づいてスケジュール化されています。その為、進度管理には労力をかけず、TACが敷いてくれた時間軸のレールの上で本来行うべき学習に集中して労力を割くことができました。

中尾 文哉さん

TAC出版 書籍のご案内

TAC出版では、資格の学校TAC各講座の定評ある執筆陣による資格試験の参考書をはじめ、資格取得者の開業法や仕事術、実務書、ビジネス書、一般書などを発行しています!

TAC出版の書籍

*一部書籍は、早稲田経営出版のブランドにて刊行しております。

資格・検定試験の受験対策書籍

- ✿日商簿記検定
- ✿建設業経理士
- ✿全経簿記上級
- ✿税 理 士
- ✿公認会計士
- ✿社会保険労務士
- ✿中小企業診断士
- ✿証券アナリスト

- ✿ファイナンシャルプランナー(FP)
- ✿証券外務員
- ✿貸金業務取扱主任者
- ✿不動産鑑定士
- ✿宅地建物取引士
- ✿賃貸不動産経営管理士
- ✿マンション管理士
- ✿管理業務主任者

- ✿司法書士
- ✿行政書士
- ✿司法試験
- ✿弁理士
- ✿公務員試験(大卒程度・高卒者)
- ✿情報処理試験
- ✿介護福祉士
- ✿ケアマネジャー
- ✿電験三種 ほか

実務書・ビジネス書

- ✿会計実務、税法、税務、経理
- ✿総務、労務、人事
- ✿ビジネススキル、マナー、就職、自己啓発
- ✿資格取得者の開業法、仕事術、営業術

一般書・エンタメ書

- ✿ファッション
- ✿エッセイ、レシピ
- ✿スポーツ
- ✿旅行ガイド (おとな旅プレミアム/旅コン)

2025年度 中小企業診断士試験 （第1次試験・第2次試験）

TAC出版では、中小企業診断士試験（第1次試験・第2次試験）にスピード合格を目指す方のために、科目別、用途別の書籍を刊行しております。資格の学校TAC中小企業診断士講座とTAC出版が強力なタッグを組んで完成させた、自信作です。ぜひご活用いただき、スピード合格を目指してください。

※刊行内容・刊行月・装丁等は変更になる場合がございます。

基礎知識を固める

▶ みんなが欲しかった!シリーズ

みんなが欲しかった!
中小企業診断士　合格へのはじめの一歩
A5判　8月刊行

- フルカラーでよくわかる、「本気でやさしい入門書」!
- 試験の概要、学習プランなどのオリエンテーションと、科目別の主要論点の入門講義を収載。

みんなが欲しかった!
中小企業診断士の教科書
上:企業経営理論、財務・会計、運営管理
下:経済学・経済政策、経営情報システム、経営法務、中小企業経営・政策

A5判　10～11月刊行　全2巻

- フルカラーでおもいっきりわかりやすいテキスト
- 科目別の分冊で持ち運びラクラク
- 赤シートつき

みんなが欲しかった!
中小企業診断士の問題集
上:企業経営理論、財務・会計、運営管理
下:経済学・経済政策、経営情報システム、経営法務、中小企業経営・政策

A5判　10～11月刊行　全2巻

- 診断士の教科書に完全準拠した論点別問題集
- 各科目とも必ずマスターしたい重要過去問を約50問収載
- 科目別の分冊で持ち運びラクラク

▶ 最速合格シリーズ

科目別全7巻
①企業経営理論
②財務・会計
③運営管理
④経済学・経済政策
⑤経営情報システム
⑥経営法務
⑦中小企業経営・中小企業政策

最速合格のための
スピードテキスト
A5判　9月～12月刊行

- 試験に合格するために必要な知識のみを集約。初めて学習する方はもちろん、学習経験者も安心して使える基本書です。

科目別全7巻
①企業経営理論
②財務・会計
③運営管理
④経済学・経済政策
⑤経営情報システム
⑥経営法務
⑦中小企業経営・中小企業政策

最速合格のための
スピード問題集
A5判　9月～12月刊行

- 「スピードテキスト」に準拠したトレーニング問題集。テキストと反復学習していただくことで学習効果を飛躍的に向上させることができます。

受験対策書籍のご案内　TAC出版

1次試験への総仕上げ

科目別全7巻
① 企業経営理論
② 財務・会計
③ 運営管理
④ 経済学・経済政策
⑤ 経営情報システム
⑥ 経営法務
⑦ 中小企業経営・中小企業政策

最速合格のための
第1次試験過去問題集
A5判　12月刊行

● 過去問は本試験攻略の上で、絶対に欠かせないトレーニングツールです。また、出題論点や出題パターンを知ることで、効率的な学習が可能となります。

全2巻
1日目
（ 経済学・経済政策、財務・会計、
企業経営理論、運営管理　）
2日目
（ 経営法務、経営情報システム、
中小企業経営・中小企業政策　）

最速合格のための
要点整理ポケットブック
B6変形判　1月刊行

● 第1次試験の日程と同じ科目構成の「要点まとめテキスト」です。コンパクトサイズで、いつでもどこでも手軽に確認できます。買ったその日から本試験当日の会場まで、フル活用してください!

2次試験への総仕上げ

最速合格のための
第2次試験過去問題集
B5判　2月刊行

● 問題の読み取りから解答作成の流れを丁寧に解説しています。抜き取り式の解答用紙付きで実践的な演習ができる1冊です。

**第2次試験
事例Ⅳの解き方**
B5判　好評発売中

● テーマ別に基本問題・応用問題・過去問を収載。TAC現役講師による解き方を紹介しているので、自身の解答プロセスの構築に役立ちます。

**第2次試験
外さない答案への
攻略ロードマップ**
B5判　好評発売中

● 演習に加えて、テーマ設定、プロセス確認、出題者の意図の確認、出題者の立場での採点などを行うことにより、2次試験への対応力を高め不合格を回避できる力を身につけることができます。

書籍の正誤に関するご確認とお問合せについて

書籍の記載内容に誤りではないかと思われる箇所がございましたら、以下の手順にてご確認とお問合せをしてくださいますよう、お願い申し上げます。

なお、正誤のお問合せ以外の**書籍内容に関する解説および受験指導などは、一切行っておりません。**
そのようなお問合せにつきましては、お答えいたしかねますので、あらかじめご了承ください。

1 「Cyber Book Store」にて正誤表を確認する

TAC出版書籍販売サイト「Cyber Book Store」の
トップページ内「正誤表」コーナーにて、正誤表をご確認ください。

CYBER TAC出版書籍販売サイト
BOOK STORE

URL:https://bookstore.tac-school.co.jp/

2 1の正誤表がない、あるいは正誤表に該当箇所の記載がない ⇒ 下記①、②のどちらかの方法で文書にて問合せをする

★ご注意ください★

お電話でのお問合せは、お受けいたしません。
①、②のどちらの方法でも、お問合せの際には、「お名前」とともに、
「対象の書籍名(○級・第○回対策も含む)およびその版数(第○版・○○年度版など)」
「お問合せ該当箇所の頁数と行数」
「誤りと思われる記載」
「正しいとお考えになる記載とその根拠」
を明記してください。
なお、回答までに1週間前後を要する場合もございます。あらかじめご了承ください。

---

① ウェブページ「Cyber Book Store」内の「お問合せフォーム」より問合せをする

【お問合せフォームアドレス】

https://bookstore.tac-school.co.jp/inquiry/

---

② メールにより問合せをする

【メール宛先　TAC出版】

syuppan-h@tac-school.co.jp

※**土日祝日はお問合せ対応をおこなっておりません。**
※**正誤のお問合せ対応は、該当書籍の改訂版刊行月末日までといたします。**

乱丁・落丁による交換は、該当書籍の改訂版刊行月末日までといたします。なお、書籍の在庫状況等により、お受けできない場合もございます。
また、各種本試験の実施の延期、中止を理由とした本書の返品はお受けいたしません。返金もいたしかねますので、あらかじめご了承くださいますようお願い申し上げます。

(2022年7月現在)